D1588226

Lekker belangrijk!
Of: hoe ik altijd weer in de problemen kom...

LEKKER BELANGRIJK!

Of: hoe ik altijd weer in
de problemen kom...

Lotte Hagen

Pimento

www.uitgeverijpimento.nl

Tekst © 2011 Marie Lotte Hagen
© 2011 Marie Lotte Hagen en Pimento, Amsterdam
Omslagbeeld Getty Images/Geoff du Feu
Omslagontwerp Studio Marlies Visser
Opmaak binnenwerk ZetSpiegel, Best

ISBN 978 90 499 2512 3
NUR 284

Pimento is een imprint van FMB uitgevers bv

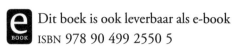

Dit boek is ook leverbaar als e-book
ISBN 978 90 499 2550 5

1

'Puck!' Als een soort woest, briesend nijlpaard stampvoet Lonneke op me af. 'Moet ik het nu echt nog een keer aan je uitleggen?'

Ik kijk haar met grote ogen aan. Ik sper ze zo wagenwijd mogelijk open en probeer superverschrikkelijk onschuldig te kijken.

Dat helpt heel vaak bij boze mensen, heb ik gemerkt. Hoe groter je ogen zijn, hoe minder goed ze boos op je kunnen blijven. Mijn wiskundeleraar meneer Reuzer, die door iedereen de Reus genoemd wordt omdat hij maar een meter zestig is, is daar bijvoorbeeld heel gevoelig voor. Ik heb het hele jaar nog geen wiskundesom hoeven maken, alleen doordat ik zo goed ben geworden in het wijd opensperren van mijn ogen. Ik heb er een ware kunst van gemaakt.

Maar bij Lonneke werkt het niet. Nee, Lonneke wordt er alleen maar pisnijdig van. Ik zie de stoom zowat uit haar oren komen en haar hoofd is knalrood aangelopen.

Lonneke is trouwens mijn lieftallige danslerares en haar lievelingshobby is woest zijn op mij. Nou ja, eigenlijk is ze dus niet lieftallig. Ze is meer onaangenaam. Afschuwelijk. Kwaadaardig, zo zou je het ook kunnen noemen. Ja, ik denk dat kwaadaardig wel ongeveer het

goede woord is om haar te beschrijven. Ze heeft namelijk altijd wel iets gemeens tegen me te zeggen. Heel
soms is ze niet pissig op me, maar ik denk dat ze dan
hoogstwaarschijnlijk wel redenen aan het bedenken is
om me weer te kunnen uitfoeteren. Ze kan moeilijk
doen om de kleinste, onbelangrijkste, onnozelste dingen
die ik doe. In mijn gedachten zie ik haar al zitten in een
donker kamertje, aan een tafel met een brandende kaars,
terwijl ze geniepig lacht en als een razende bezig is dingen op te schrijven waarvoor ze me straf kan geven. In
die fantasie ziet ze er trouwens wel verdacht veel uit als
Quasimodo. Je weet wel, met die bochel. Ik glimlach bij
het beeld van Lonneke met een enorme bochel.

'Puck! Wat vind je er zelf van?' Lonneke knipt met
haar vingers voor mijn ogen en ik word ruw weggetrok-
ken uit mijn fantasie.

Om eerlijk te zijn heb ik deze keer trouwens echt geen
idee waarom ze nu weer zo kwaad is. Meestal kan ik nog
wel bedenken waarom. Ik verlies mijn aandacht heel
snel als ze nieuwe danspasjes uitlegt. Maar zeg nou zelf,
er zijn toch zoveel andere leuke dingen te doen dan luisteren naar het geneuzel van iemand die een supermak-
kelijke danspas voordoet?

En ik kom bijna altijd te laat – maar dat is trouwens
niet mijn schuld. Het is eigenlijk bijna altijd de schuld
van Sterre dat ik te laat kom. Echt!

Sterre is mijn allerbeste vriendin en mijn *soulmate for*

life. We hebben elkaar tien jaar geleden ontmoet in de zandbak van het speeltuintje tegenover mijn huis en vanaf dat moment zaten we ongeveer aan elkaar vastgelijmd en doen we alles samen. Mijn moeder vertelt vaak dat ze op een dag thuiskwam en dat Sterre er opeens was. En toen is ze nooit meer weggegaan.

Twee jaar geleden zijn we samen begonnen aan jazzdansen. Ik haal Sterre elke zaterdag thuis op en dan fietsen we samen naar het zaaltje waar de danslessen worden gegeven. Tenminste, dat is de bedoeling, maar Sterre is nooit op tijd. Nooit, *never*, nooit. Normaal staat ze in paniek onder de douche als ik aankom, omdat ze dan weer eens door haar wekker heen geslapen is.

Vanochtend lag ze zelfs nog diep in slaap toen ik voor haar huis stond. Haar moeder liet me binnen en toen ben ik haar slaapkamer in geslopen. Sterre lag als een bolletje onder de dekens en dat bolletje Sterre was echt met geen stok wakker te krijgen. Nou, dat weet ik niet zeker eigenlijk. Misschien was ze best wel wakker geworden als ik haar echt met een stok had gepord. Maar ik had zo snel geen stok bij de hand, dus toen ben ik maar luid gillend boven op haar gesprongen. Van schrik sloeg ze me in mijn gezicht en nu heb ik een grote rode plek op mijn linkerwang. Een grote rode plek in de vorm van de hand van Sterre. Omdat ze zich zo schuldig voelde (ze zegt nu om de drie minuten sorry tegen me) heeft ze geprobeerd de rode plek op mijn wang weg te werken met make-up van haar moeder. Alleen is haar moeder zo bleek als een lijk en haar make-up is dus ook heel licht, bijna wit. Toen zat er ineens een grote witte vlek in de vorm van de hand van Sterre op mijn linkerwang. Dat zag er echt niet uit! Uiteindelijk hebben we mijn rode plek omlijnd met blauwe eyeliner en ingekleurd met groene glitteroogschaduw. En op de linkerwang van Sterre hebben we een roodomlijnde hand getekend die we met blauw en goud hebben ingekleurd. Al met al duurde dat gedoe met die handen en die wangen best wel lang en kwamen we twintig minuten te laat op dansles, maar wel met ongelooflijk *coole looks*!

Lonneke vond het niet grappig en natuurlijk kregen we de wind van voren. Nou ja... ík kreeg de wind van voren. Sterre kreeg alleen een heel zachtaardig, lief, geruststellend 'tuttuttut' van Lonneke. Ik moet nu ook de hele les achteraan staan en zo nu en dan werpt Lonneke boze blikken naar me, maar dat is eigenlijk altijd zo.

Inmiddels staat ze trouwens als een soort torenhoge ijskoningin pal voor me. Ze is nog steeds uit haar humeur en ik weet nog steeds niet precies waarom. 'Je beweegt verkeerd,' zegt ze.

Ik bedwing de neiging om met mijn ogen te rollen. Ik beweeg verkeerd, wat een verrassing. In de ogen van Lonneke beweeg ik altijd verkeerd.

'Je staat erbij als een slappe vaatdoek.' Ze grijpt mijn arm nogal ruw vast en schudt hem heen en weer, alsof ze wil controleren of mijn arm niet toevallig écht een vaatdoek is.

'Hoe vaak moet ik het je nog zeggen? Je moet strakke bewegingen maken. Strak!'

Ik knik, terwijl ik me in gedachten weer voorstel hoe ze eruit zou zien met een bochel.

Lonneke loopt naar de muziekinstallatie en wenkt iemand naar voren. 'Eline, doe jij het eens voor, samen met mij. En goed opletten, Puck, want vooral jij doet dit niet goed. Vooral jij.' Met een priemende vinger wijst ze in mijn richting.

Eline is het jongere zusje van Lonneke, even oud als ik, en zit bij me in de klas. Zij heeft al net zo erg de pik op me als haar grote zus. Eline stapt naar voren, even kijkt ze minachtend naar me en er verschijnt een vals lachje om haar mond.

Sterre komt naast me staan en geeft me een arm. 'Opletten, Puck,' fluistert ze. 'De gezusters Zuur en Pruim zullen weleens even laten zien hoe het moet.'

Ik grinnik.

Uit de muziekinstallatie komt een harde beat en kort daarna klinken de eerste tonen van het nummer waarvoor onze dansroutine is gemaakt.

Lonneke en Eline tellen samen schreeuwend af: 'Vijf! Zes! Zeven! Acht!'

Ik schiet in de lach – een soort knorrende lach – en er komt echt een debiel geluid uit mijn mond. Gelukkig hoort alleen Sterre het; ze stoot me aan en ik zie dat ook zij moeite moet doen om niet te lachen.

De zussen beginnen met dansen terwijl de rest van de groep om hen heen staat en kijkt. Ik heb soms het ernstige vermoeden dat Lonneke alleen maar danslerares is geworden zodat ze mensen kan commanderen naar haar en haar zusje te kijken en vol bewondering flauw te vallen of zoiets. Als ze naast elkaar staan valt het pas echt op hoeveel Lonneke en Eline op elkaar lijken. Eline is eigenlijk een kleine Lonneke. Of Lonneke is een grote Eline. Ze hebben in elk geval allebei precies dezelfde onvriendelijke, zure uitdrukking op hun gezicht, alsof ze net een citroen hebben opgegeten. Of eigenlijk, alsof ze net een hele berg citroenen hebben opgegeten en er zojuist achter zijn gekomen dat ze nóg een berg citroenen moeten opeten. Ze persen op dezelfde manier hun lippen op elkaar en knijpen hun ogen tot kleine spleetjes. Ze dansen ook allebei op dezelfde houterige manier, alleen noemt Lonneke dat niet houterig, maar strak. Sterre en ik noemen het houterig.

Lonneke wil graag dat iedereen zo danst. 'Kijk, Puck!' roept ze en ze gooit haar linkerarm op een vreemde manier de lucht in. 'Tak!' roept ze bij elke beweging die ze maakt. Nu gaat haar linkerbeen omhoog. 'Tak!' roept ze weer.

Eline doet precies hetzelfde. 'Tak.' Rechterbeen. 'Tak.' Rechterarm. 'Tak.' Hoofd omhoog.

Ik word er een beetje onrustig van en al dat 'getak' maakt me lacherig. Naast me begint ook Sterre een beetje heen en weer te wiegen en de andere meiden in de groep beginnen ook hun aandacht te verliezen.

Maar Lonneke en Eline hebben niks door. Hun ogen zijn gericht op de grote spiegel voor in de zaal en ze kijken alleen maar naar zichzelf. 'Tak!' blijven ze maar roepen.

'Ik heb de definitieve indeling voor de voorstelling in het bejaardentehuis van volgende week,' zegt Lonneke en ze wappert een stapeltje papiertjes voor onze neus heen en weer. Er gaat een enthousiast gemurmel door de groep. Elk jaar treedt onze dansgroep op in het bejaardentehuis van ons dorp en dat is ook meteen de enige voorstelling die we geven. Elk jaar weer zitten er ongeveer vijftig hoogbejaarde mensen in de zaal. De meesten zijn allang met open mond in slaap gevallen tegen de tijd dat we met de eerste dans beginnen. Toch is iedereen altijd weer dolenthousiast om mee te doen.

'We doen dit jaar drie dansroutines in bejaardentehuis Hooge Hoek en ik heb geprobeerd om iedereen een keertje vooraan te laten dansen,' vertelt Lonneke.

Ik durf bijna te zweren dat ze mij net iets te lang en te kwaadaardig aankijkt wanneer ze het woordje 'geprobeerd' uitspreekt.

Ik weet al meteen wat er gaat gebeuren, ik voel het aan mijn water: ze heeft me niet vooraan gezet. Toch ben ik een beetje zenuwachtig als ze de papiertjes met de indelingen op de levensgrote spiegel plakt die voor in de zaal hangt. Ik kan het niet helpen, maar ik wil gewoon heel graag ook een keer helemaal vooraan staan. Zelfs al is het voor stokoude mensen die misschien niet eens begrijpen wat we aan het doen zijn. Ik wil niet op de tweede rij en ook niet aan de zijkant, maar gewoon pal vooraan.

Ik kijk peinzend naar de groep meiden die voor de spiegel staat te dringen. Ik hoor ze opgewonden gillen en ze zijn allemaal duidelijk heel tevreden met de plekken die Lonneke ze heeft gegeven. Dan zie ik Sterre uit de zee van gillende meisjes kruipen en ze komt met een serieuze uitdrukking op haar gezicht naar me toe. 'Puck,' zegt ze, 'niet boos worden, maar...'

Het kleine beetje hoop dat ik voorzichtig durfde te koesteren is zomaar – poef – verdwenen. Ik loop naar voren, worstel me door de groep heen en bestudeer de indeling. Het voelt echt als een soort slow motion-moment, zoals in een film, en het lijkt net alsof de hele wereld ineens gestopt is met draaien. Ik kan mijn ogen niet van de blaadjes afhouden en blijf er als een soort debiel ongelovig naar staren. Niet alleen heeft Lonneke me bij geen enkele dans vooraan gezet, maar ik sta ook nog eens tijdens elk optreden recht achter Marleen, pal achter die lange bonenstaak. Ze is zeker drie koppen groter dan ik en haar lange armen en benen zwiepen tijdens het dansen. *Zwiep, zwiep, zwiep.* Niemand kan me zien.

Ik zal bovendien geweldig mijn best moeten doen om de zwiepende ledematen van Marleen te ontwijken! Ik knijp mijn ogen even stijf dicht en open ze dan weer, omdat ik ervan overtuigd ben dat ik eigenlijk sta te dromen. Zelfs Lonneke kan toch niet zo gemeen zijn?

Maar nee, de letters op de blaadjes die tegen de spiegel hangen veranderen niet. De indeling blijft hetzelfde. Ik sta keer op keer achteraan, achter lange Marleen, en Eline staat keer op keer op de eerste rij. Mijn hele gezicht neemt een verontwaardigde uitdrukking aan. Ik voel gewoon dat het gebeurt en ik kan er niets aan doen. Is Lonneke nou helemaal gek geworden? Dit is pure discriminatie!

Plotseling is het helemaal stil om me heen en ik sla een hand voor mijn mond. Opeens realiseer ik me dat ik hardop tegen mezelf aan het praten ben. Ik kijk naar Lonneke en ze kijkt voor de verandering weer eens superkwaad terug.

'Discriminatie?' vraagt ze.

Het is nu toch al te laat, dus ik besluit om de discussie maar aan te gaan. 'Ja, discriminatie!' roep ik en ik steek zo dramatisch als ik kan een vinger in de lucht. Ik weet niet hoe het komt, maar als je een vinger in de lucht steekt, lijkt alles wat je roept nog heftiger en emotioneler. 'Waarom sta ik bij elke dans achteraan?'

Lonneke lijkt even van slag te zijn door mijn vraag, maar herstelt zich snel. Ze knijpt haar ogen tot spleetjes en haar stem klinkt heel zachtjes. 'Ik ben de baas en ik bepaal de opstelling. Ik wil je gewoon niet vooraan hebben. En als het je niet zint, dan kun je vertrekken.'

Sprakeloos kijk ik haar aan. Ze maakt zwaar misbruik van haar macht! Wat een dictator. Ik zou haar het liefst flink door elkaar rammelen, zo hard dat ze voor altijd duizelig is en nooit meer dansles kan geven. Maar de tranen prikken in mijn ogen en er zit een irritante brok in mijn keel. Zo'n brok die niet weg te slikken is, hoe hard je het ook probeert.

'Oké,' zeg ik schor.

Ik zie dat Sterre me met grote ogen aankijkt en hard met haar hoofd schudt.

Ik loop naar de kleedkamer, pak mijn tas en sjok naar de uitgang van het sportschooltje.

'Puck! Wat doe je nu?' Sterre komt achter me aan gerend. Ze grijpt mijn arm vast. Ik ga naar huis, wil ik zeggen, maar er komt alleen maar een raar gepiep en gekraak uit mijn mond. Heel fijn, schiet het door mijn hoofd, nu kan ik ook al niet meer praten!

Maar gelukkig begrijpt Sterre me zonder dat ik een woord hoef te zeggen. 'Wacht even, ik ga met je mee,' zegt ze en ze rent naar binnen om haar spullen te pakken.

Een minuut later zitten we zwijgend op de fiets en dan kan ik mijn tranen echt niet langer bedwingen. Grote blauwe en groene druppels rollen langs mijn wang omlaag.

2

Woest smijt ik mijn tas met danskleren op de grond en ik stamp zo luidruchtig als ik maar kan door de gang. Mijn tranen zijn intussen helemaal verdwenen. Mijn humeur is omgeslagen in razende woede. Ik bal mijn vuisten en ik heb ineens het gevoel dat ik ergens heel erg hard tegenaan moet slaan. Ik kijk zoekend rond naar iets om me op uit te leven zonder dat het zeer doet, maar tot mijn grote teleurstelling kan ik niks vinden. De muur? De trap? Het lijkt me allemaal nogal pijnlijk. Uiteindelijk sla ik tegen de grote berg jassen aan die aan de kapstok hangt. Het helpt niks, ik ben nog steeds superontiegelijk boos. Ik probeer het nog een keer en nu maak ik er een soort rare strijdkreet bij, maar mijn humeur wordt er niet bepaald beter door.

Na de rampzalige dansles van vanochtend zijn Sterre en ik naar snackbar Het Hete Frietje gegaan, onze vaste hangplek, om een wraakplan te bedenken. Eigenlijk zijn de twee linkerschommels in het speeltuintje achter onze oude basisschool onze vaste hangplek, maar die waren al bezet. Er zaten twee kleine meisjes in roze jasjes op en ze schreeuwden ongelooflijk hard tegen elkaar. Daarbij regende het een beetje en iedereen weet dat je geen wraakplannen kunt bedenken terwijl je natregent en moet luisteren naar schreeuwende meisjes in roze jasjes. Nee, de beste plannen verzin je als je met een grote portie friet met extra veel mayonaise voor je neus zit, dat is algemeen bekend. Dus toen zijn we naar Het Hete Frietje gefietst en daar hebben we twee megabakken met patat besteld. Sterre kreeg toen ook nog eens het geniale idee dat we waarschijnlijk nog veel betere plannen zouden bedenken als we ook nog een milkshake hadden. Dus toen hebben we van elke smaak een milkshake besteld. En daar zaten we dan, om halftwaalf 's ochtends, met zes milkshakes – vanille, chocolade, aardbei, appel, toffee en banaan – en een extra grote portie friet, broedend op een plan.

Ik ben nu trouwens best wel een beetje misselijk.

Maar goed, we konden er moeilijk ons hoofd bij houden, want Timo kwam ons elke drie seconden lastigvallen met allerlei onzin. Hij bakt friet, zit onder de pukkels en hij is verliefd op Sterre. Jammer genoeg voor Timo is Sterre al verliefd op iemand anders. Nou ja, eigenlijk op veel meer iemanden, maar niet op Timo.

Ik schop nog eens hard tegen mijn tas om mijn laatste restje frustratie te uiten en loop dan peinzend door de gang in de richting van de woonkamer. Lonneke kan wat mij betreft naar de maan lopen en nooit, maar dan ook nooit meer terugkomen. Of misschien is het nog beter als ze gewoon opgegeten wordt door een leeuw of een tijger of een hyena of een...

'Puck, ben jij dat?' De stem van mijn moeder klinkt vreemd.

Ik krijg een ongemakkelijk gevoel.

Ik loop de woonkamer in en vier paar ogen kijken me aan. Mijn broer Niels heeft een ontevreden uitdrukking op zijn gezicht (maar dat heeft hij altijd) en speelt met de voetbal in zijn handen. Mijn moeder kijkt naar me over haar leesbrilletje heen en de ogen van mijn zusje Naomi komen maar net boven de torenhoge stapel studieboeken uit die voor haar ligt. Alleen mijn vader lijkt het niet zo boeiend te vinden dat ik binnenkom: hij richt zijn blik weer verlangend op zijn zaterdagkrant die mijn moeder in haar handen heeft.

Mijn moeder pakt vaak de krant van mijn vader af als ze iets van hem wil en eigenlijk vind ik dat best zielig voor hem. Vooral op zaterdag loopt hij meestal meer achter de krant aan dan dat hij erin leest.

'Puck, je bent precies op tijd. We wilden net beginnen aan de familievergadering,' zegt mijn moeder, terwijl ze met de krant zwaait.

Ik zucht overdreven diep en maak aanstalten om de keuken in te lopen en een glas water te pakken, want ik ben heel, heel erg misselijk. 'Daar heb ik nu echt geen zin in,' kreun ik, 'ik heb een heel zware ochtend gehad.'

Niels springt op en stuitert zijn voetbal op de grond. 'Dan ga ik voetballen, Lars wacht op me en...'

Ook Naomi racet uit haar stoel, grist het bovenste

boek van de stapel voor haar en onderbreekt Niels in zijn uitbarsting: 'Ik ga lezen. Doei!'

Er verschijnt een paniekerige uitdrukking op het gezicht van mijn moeder. Ze springt op en grijpt Niels en Naomi bij hun schouders. 'Absoluut niet! Het is nu tijd voor een gezellig familie-uurtje!' krijst ze.

Opeens is het een kippenhok geworden. Iedereen tettert door elkaar; je verstaat echt niets meer van wat iedereen roept. Dat is bij ons wel vaker zo, we zijn nou niet echt een gezin waar iedereen rustig en duidelijk met elkaar communiceert. Naomi en Niels proberen zich los te rukken uit de ijzersterke greep van mijn moeder terwijl ze iets gilt over qualitytime.

Dan staat mijn vader op, schraapt zijn keel en buldert: 'En nu zitten!'

Van schrik plof ik met maar één bil neer op de stoel die het dichtst bij me staat. Ik tuimel bijna op de grond. Met beide handen grijp ik de eettafel naast me vast en ik weet mezelf nog net rechtop te houden. Een zenuwachtige gniffel ontsnapt uit de mond van Naomi.

De strenge ogen van mijn vader flitsen richting mijn zusje. 'Had jij nog een brutale mond?'

Naomi kijkt naar de grond en schudt haar hoofd. 'Nee,' zegt ze zachtjes.

Ik hoor mijn broer minachtend grinniken. Maar als de ogen van mijn vader zijn richting op kijken is ook hij stil. Muisstil.

'Zo,' begint mijn vader. 'Zal ik dan maar beginnen?'
Goed, het is nu dus qualitytime. De tijd waarin we
alles aan elkaar vertellen en waarin we onze gevoelens
met elkaar delen. Dat is tenminste de bedoeling. Toen
mijn moeder vorige week ontdekte dat mijn zusje al
máánden haar balletles oversloeg om haar geheime
vriendje in het park te gaan zoenen, vond ze dat we iets
moesten doen aan 'de kwaliteit van de communicatie
binnen het gezin'. Ja, zo zei ze het letterlijk. Die 'kwaliteit' is volgens haar namelijk belangrijk voor een 'goed
functionerend gezinsleven'. Mijn moeder heeft vaak vi-
sioenen over een eng, onnatuurlijk perfect gezin. Dat
weet ik, omdat ze altijd zo'n afwezige blik in haar ogen
krijgt. Waarschijnlijk ziet ze haar drie kinderen als een
soort robotten met een tandpastalach de hele dag zwaai-
en en lachen. En als ze niet zwaaien en lachen, dan halen
ze tienen op school en zijn ze goed in alle sporten. Wanneer haar man thuiskomt van zijn werk rent hij de keuken in (waar zijzelf net een van haar beroemde appeltaarten aan het bakken is) en zwaait hij haar energiek in
de rondte. '*Honey, I'm home.*' En er is ook een hond, dat
weet ik zeker. Maar dan wel een die nooit uitgelaten
hoeft te worden en die geen eten nodig heeft. Hij heet
vast Bello.

Ons echte gezinsleven is ongeveer het allertegenover-
gesteldste van wat mijn moeder wil. We hebben geen
hond, want mijn vader is allergisch. En met allergisch

bedoel ik echt superallergisch. Hij niest zich al helemaal suf als hij een plaatje van zo'n beest ziet. Een keer waren we op visite bij mijn oma en ze had een nieuwe, nogal harige poef die ik in de verste verte niet op een hond vond lijken. Maar mijn vader vond van wel en toen rende hij niesend en vloekend het huis uit, schreeuwend dat zelfs zijn eigen moeder geen rekening hield met zijn kwalen.

En mijn moeder kan geen appeltaarten bakken. Eigenlijk kan ze helemaal niks bakken. Of koken. Mijn vader zorgt altijd voor het eten, want als mijn moeder het doet, dan krijgen we gegarandeerd voedselvergiftiging. Ik denk ook niet dat mijn vader mijn moeder ooit in de rondte zal zwaaien, want hij heeft last van al zijn gewrichten. Hij wordt oud, dat zegt hij elke dag.

En wij scoren geen tienen. Nou ja, mijn zusje Naomi haalt wel goede cijfers op school en is zelfs goed in gym.

Het vervelende aan mijn zusje is dat ze ook altijd praat over hoe goed ze alles kan. Ze grijpt elke kans aan om te vertellen over haar supertalenten. Ik vind het eigenlijk al een supertalent dat ze er zoveel over kan praten. Ik zou echt in slaap vallen als ik zoveel over mezelf zou ouwehoeren.

Mijn broer Niels is alleen maar goed in sport, maar omdat mijn ouders school nu eenmaal belangrijker vinden dan voetbal of rugby mag hij bijna niets leuks meer doen tot hij met betere cijfers thuiskomt.

En ik? Ik ben niet echt sportief en ik ben ook niet zo

goed op school. Ik doe het ook niet slecht, ik ben gewoon... gemiddeld. Zesjes en zevens, soms een acht. Behalve voor natuurkunde, want daar ben ik echt ontzettend slecht in. Gelukkig kan ik mijn jammerlijk falen bij natuurkunde weer een beetje goedmaken met mijn ontegenzeggelijke succes bij Nederlands. Ik vind dat een mooi woord, ontegenzeggelijk. Het betekent zoiets als overduidelijk, maar dan duizend keer beter.

Laat ik trouwens maar even een eigenaardige gewoonte van mezelf onthullen: ik gebruik graag bijzondere woorden. Vorige week heb ik tijdens Nederlands het woord 'kenau' geleerd, dat betekent 'manwijf'. Nou, probeer dat woord maar eens nonchalant in een gesprek te gebruiken zonder iemand te beledigen. Het is mij nog niet gelukt, maar ik ben dol op uitdagingen. Ik zit me trouwens net te bedenken dat ik Lonneke vanochtend eigenlijk een kenau had moeten noemen, maar die kans komt vast nog wel.

Mijn vader onderbreekt mijn gepeins. 'Puck?' Hij kijkt me vragend aan en ik kijk verward terug. 'Puck, heb jij soms iets te bespreken?'

Ik schud mijn hoofd. Ik weet nog niet hoe ik mijn ouders ga vertellen dat ik gestopt ben met dansen, maar ik weet wel dat ik dat niet moet doen tijdens een familie-uurtje. Tijdens familie-uurtjes moet je mijn ouders absoluut niet opwinden, maar vooral jaknikken en enthousiast zijn over hun geweldige opvoedtechnieken.

Ik zie de mond van mijn vader driftig bewegen. Hij praat tegen ons en wij kijken hem dom aan. Zo gaat het meestal, die qualitytime. Mijn vader praat en wij zitten stil op een rijtje als drie debielen naar hem te staren. Dat is het beste en zo is deze marteling het snelst voorbij. Naomi frummelt zenuwachtig met haar vingers aan het elastiekje om haar pols. Niels trommelt met zijn handen op zijn knieën en neuriet zachtjes zijn lievelingsnummer. Ik gebruik de tijd meestal om naar buiten te staren en te bedenken wat ik wil in het leven.

Dat doe ik vaak, bedenken wat ik wil in het leven. Ik wil bijvoorbeeld echt een keer een muur in mijn slaapkamer knalrood verven. En ik wil ook graag minder onhandig zijn, want ik struikel altijd over van alles (vooral over stoelpoten) en daar word ik helemaal gek van. En ik wil ontzettend graag reizen en de hele wereld zien. Verder wil ik ook een keer verliefd worden, echt heel erg supersmoor tot over mijn oren verliefd. Nou ja, eigenlijk ben ik dat al, op Jesse. Maar ik zou het heel erg leuk vinden als hij ook supersmoor tot over zijn oren verliefd op mij wordt. Het is alleen jammer dat hij een paar klassen hoger zit en waarschijnlijk niet eens weet van mijn bestaan. (Cliché, hè?) Sterre zegt dat ik gewoon op hem af moet stappen en hem spontaan moet zoenen, maar dat lijkt me in dit stadium een beetje overdreven.

Trouwens, Sterre weet helemaal niks van verliefd zijn. Nou ja, ze weet niets van écht verliefd zijn. Sterre is namelijk elke dag verliefd op iemand anders. Hoe kan ze mij advies geven over echte liefde als ze zelf niet eens weet hoe dat voelt?

Mijn vader is intussen gestopt met praten en kijkt ons een voor een aan. 'Hebben jullie dat goed begrepen?' vraagt hij.

Ik heb absoluut geen idee waar hij het over heeft, maar ik knik heftig en Naomi en Niels doen met me mee.

Mijn vader kijkt triomfantelijk naar mijn moeder en steekt zijn hand uit om zijn krant in ontvangst te nemen. Met tegenzin geeft mijn moeder hem zijn dierbare zaterdagkrant. De familievergadering is voorbij en iedereen kan weer opgelucht ademhalen. Naomi en Niels weten niet hoe snel ze weg moeten rennen. Ik sta ook op het punt om naar mijn kamer te vertrekken om eens lekker uitgebreid te gaan niksen, maar mijn moeder blokkeert me de weg.

'Puck, heb jij je natuurkunde al geleerd?' vraagt ze. 'Ik weet dat je maandag een proefwerk hebt.' Het vervelende aan mijn moeder is dat ze altijd overal bovenop zit en nogal obsessief bezig is met onze schoolcarrières. Ze heeft de lesroosters van mij, Naomi en Niels aan het prikbord in de keuken gehangen en is meestal beter op de hoogte van mijn huiswerk dan ikzelf.

'Nee,' geef ik onwillig toe, 'nog niet.'

'Nou,' zegt mijn moeder, 'waar wacht je nog op? Naar

boven.' Ze vouwt haar armen over elkaar en kijkt onverbiddelijk.

Ik kan jammer genoeg maar één ding bedenken waardoor ik nog even uitstel krijg van het leren, en dat is een
'serieus gesprek'. Ik haal diep adem, kijk mijn moeder
aan en zeg: 'Mam? Ik ga voortaan niet meer naar jazz-
dans.'

Lieve Ola-mensen,

Ik ben echt ontzettend blij met jullie. Dat wil ik
graag eerst even heel duidelijk stellen. Ik ben echt
verschrikkelijk, ontzettend, ontiegelijk, immens, kolossaal,
reusachtig, buitensporig, gruwelijk blij met jullie. De raketjes
die jullie elke keer weer maken, redden vaak mijn leven.
En nu denken jullie misschien: Nou, dank je wel hoor, Puck,
maar we denken dat je een beetje overdrijft. Nou, dat is
dus niet zo. Ik overdrijf niet. Ik overdrijf sowieso nooit,
want ik sta heel realistisch en nuchter in het leven.
   Nu ik duidelijk heb gemaakt hoe belangrijk raketjes in
mijn leven zijn, wil ik graag even terugkeren naar het
oorspronkelijke doel van deze brief. Vanmiddag zat ik
er echt doorheen. En dat bedoel ik op de ernstigste
en meest serieuze manier die je je maar kunt voorstellen. Ik had weer eens op mijn kop gekregen van
mijn (ex-)danslerares Lonneke. (Vraag maar niet waarom,
want dan kan ik eeuwig doorgaan en dat wil je echt
niet.) En toen ik thuiskwam, kreeg ik van mijn moeder
op mijn donder, omdat ik mijn proefwerk voor natuurkunde
nog niet had geleerd. Maar ja, het is natuurkunde... dus
dat lijkt me op zich al een heel goede reden om niet
te gaan leren. Want zeg nou zelf, ik heb al die kennis
van natuurkunde toch nooit meer nodig? Hebben jullie

ooit iemand horen zeggen: 'Verdorie, wist ik nu maar de snelheid waarmee een appel van een boom valt, want dan was mijn leven echt een stuk beter geweest?' Nee, hè? Ik ook niet. En ik snap heus dat er mensen zijn die wel blij worden van dingen als 'kinetische energie' en 'kilowattuur', maar ik ben niet een van die mensen. Ik word blij van heel andere dingen. Van boeken bijvoorbeeld. Of raketjes.

Maar mijn moeder was onverbiddelijk en ze stuurde me zonder pardon naar mijn kamer om te gaan leren. En als mijn moeder in een onverbiddelijke bui is, dan moet je niet proberen om haar op andere gedachten te brengen. Dan wordt ze woest. En dat is pas echt erg. Dus ik sjokte de trap op naar mijn kamer, struikelde over de laatste trede en strompelde mijn kamer in. Daarna heb ik braaf mijn natuurkundeboek opengeslagen en geprobeerd om me in de stof te verdiepen. En raad eens wat er gebeurde? Ik viel meteen in slaap. Toen ik wakker werd, zat er allemaal kwijl op mijn boek. Ik kwijl blijkbaar in mijn slaap. Iew. Dat vond ik niet zo'n leuke ontdekking, eerlijk gezegd. Nu heb ik nog steeds mijn natuurkunde niet geleerd, is mijn moeder enorm chagrijnig en zit er overal kwijl op.

Jullie begrijpen dat mijn zaterdag helemaal was verpest. Het was een ellendige boel, dat mogen jullie gerust weten. En op zo'n moment heb ik dan een ijsje nodig. Een ijsje maakt alles beter, dat weet iedereen. Dus ik ben met gevaar voor eigen leven de trap af geslopen en zachtjes naar de vriezer gekropen (dat rijmt!), want ik wist dat er nog een ijsje in de doos moest zitten. Ik deed een greep in de doos en toen gebeurde het ergste wat je je maar voor kunt stellen. Nee, het ergste maal honderd miljoen. Zo erg dus.

De verpakking was nog netjes helemaal dicht, maar er zat alleen maar lucht in en geen raketje. Willen jullie voortaan geen verpakkingen zonder raketjes in een doos stoppen alsjeblieft? Ik was echt diep teleurgesteld. Nee, erger nog, ik was ontgoocheld. Dat is nog erger dan teleurgesteld zijn.

Ik stuur het zielige omhulsel zonder ijsje mee met deze brief, zodat jullie met eigen ogen kunnen zien waarom ik zo ontgoocheld was. Ik denk dat ik wel ongeveer vijf gratis dozen met raketten nodig heb om de schok van vanmiddag te kunnen verwerken. Als jullie vinden dat er meer gratis dozen met ijs nodig zijn om het goed te maken, is dat nog beter zelfs. Mijn adres staat op de envelop.

Groetjes,
Puck de Wildt

3

'De Reus is er weer niet,' zegt Rogier, nog voordat ik een blik op het beeldscherm met de roosterwijzigingen kan werpen. Rogier is het betweterigste, wijsneuzerigste en allerschattigste klasgenootje dat er bestaat. Hij is de zoon van de conciërge, piepklein en met rood stekeltjeshaar en hij zit van top tot teen onder de sproeten. Ik moet mezelf vaak verschrikkelijk inhouden om hem niet altijd te aaien of helemaal plat te knuffelen, want hij ziet er zo aandoenlijk uit! Hij springt meestal als een klein hondje om me heen terwijl hij allemaal gekke feitjes opnoemt. Dat is soms ook best cool, want door hem weet ik dat de aarde 4,57 miljard jaar oud is. En dat 'croissant' in het Nederlands 'halve maan' betekent. Dat is toch supertof? Het enige probleem is dat hij altijd heel erg boos wordt als ik hem probeer te knuffelen (en dat probeer ik heel vaak). Dan rimpelt hij zijn neus (superlief) en zwaait hij met zijn vuistjes heen en weer (supervertederend) en probeert hij zich uit alle macht los te worstelen (super-snoezig). Dat is niet zo handig van hem, want eigenlijk vind ik hem alleen maar nog snoeperiger als hij boos is. Rogier is echt om op te eten, zo schattig.

'Puck, hoorde je het? De Reus is er weer niet!' roept Rogier nog een keer, terwijl hij om me heen springt.

Dat is het beste nieuws van de hele dag. Ik heb het gevoel dat mijn hoofd plotseling kan ontploffen van blijdschap. De Reus is er niet en dat betekent twee zalige uren vrij. Twee heerlijke wiskundeloze uren zonder geneuzel over Pythagoras en wortels en lineaire formules. En niet te vergeten, twee hemelse uren om onbeperkt te kunnen staren naar Jesse, de geweldigste, leukste, liefste, knapste jongen op school!

Zonder iets te zeggen draai ik me om. Ik stuif naar de kluisjes, op zoek naar Sterre. Sterre brengt namelijk ongezond veel tijd door bij haar kluisje, omdat ze constant haar code vergeet. Deze maand alleen al heeft ze drie keer een nieuwe code moeten aanvragen bij de conciërge. Maar onthoudt ze die? Nee, hoor. Haar laatste code kreeg ze twee dagen geleden. Ze had hem voor de zekerheid in haar telefoon gezet. Heel slim, alleen is ze nu de pincode van haar telefoon vergeten.

Opgewonden kom ik naast haar staan en ik begin een beetje heen en weer te wippen en te wiegen. Sterre merkt me niet eens op, want ze is geconcentreerd bezig met de code van haar cijferslot.

'34... 3... 1...?' mompelt ze vragend terwijl ze tevergeefs aan de knop van haar kluisje draait. Ik begin ongeduldig onzichtbare pluisjes van mijn trui te plukken.

'33... 4... 1...?' Gefrustreerd begint Sterre aan het deurtje van haar kluisje te rammelen. 'Gááá óóópéééén, alsjebliehiehiehieft,' jammert ze, terwijl ze zich dramatisch met een luide knal tegen haar kluisje aan laat vallen en langzaam op haar knieën zakt.

'Kom,' zeg ik en ik sjor mijn beste vriendin aan een arm overeind, 'gooi je boeken maar in mijn kluis. De Reus is er alweer niet.'

Even blijft ze stokstijf staan en dan draait ze haar gezicht naar het mijne. 'Wat? En dat zeg je nu pas? We moeten onze tafel veiligstellen!' Ze graait haar spullen bij elkaar en gooit alles met een nonchalante zwaai in mijn kluis en slaat het deurtje dicht. 'Zo.'

Even kijken we elkaar aan en dan stormen we allebei naar boven.

Er staan drie studeertafels in de gangen van de school, en vanaf één van die tafels kun je recht in het scheikundelokaal kijken. Dat is de lievelingstafel van mij en Sterre, dat weet bijna de hele school. Vorige week hebben we er voor de zekerheid nog een briefje op geplakt met: VOOR ALTIJD EN ALTIJD GERESERVEERD VOOR PUCK EN STERRE, maar dat briefje was na een uur alweer weggehaald. Heel onbeleefd eigenlijk, nu ik er zo over nadenk.

Maar goed, Sterre en ik gaan daar altijd zitten tijdens een tussenuur en dan observeren we het lokaal van mevrouw Rechter. Ze geeft al meer dan tien jaar scheikundeles bij ons op school en ze loopt volgens mij ook al tien jaar zo krom als een banaan. Ik maak geen grapje, ze heet écht mevrouw Rechter en ze loopt écht superkrom.

Zoiets verzin je toch niet? Als ze nog krommer zou lopen, dan zou ze bij elke stap met haar neus de grond raken. Het is heel erg vermoeiend om naar haar te kijken. Telkens als ik haar met haar wandelstok door de gangen zie schuifelen ben ik bang dat ze omvalt of ergens tegenaan strompelt. Ik heb haar al drie keer tegen een deur aan zien knallen en een keer stootte ze zomaar met haar hoofd tegen het bord voor in de klas.

Sterre en ik kijken graag naar haar vanaf onze heilige tafel. Mevrouw Rechter mag er dan wel ongevaarlijk en breekbaar uitzien, dat is ze beslist niet. Ze is een wolf in schaapskleren! Ze barst per les wel ongeveer vier keer in woede uit en we kunnen haar dan vanaf onze veilige plek altijd tekeer zien gaan tegen haar leerlingen.

Op maandag is onze heilige tafel nog veel heiliger dan normaal, want dan heeft Jesse 's middags een blokuur scheikunde. Dat hebben we drie weken geleden ontdekt, toen het blokuur wiskunde van de Reus voor het eerst uitviel.

Ik weet niet wat er aan de hand is met de Reus, maar iedereen praat erover. Ik heb al zoveel geruchten en verhalen gehoord dat ik niet meer weet wat ik moet geloven. Sterre denkt dat hij is opgepakt omdat hij een affaire heeft met een leerling op school. Daar geloof ik niks van. Welke tiener wil nou iets met een zestigjarige, getrouwde man van een meter zestig? Bijna iedereen op school, inclusief de brugklassers, is groter dan de Reus.

Volgens mij moet hij op een stoel gaan staan om met iemand te zoenen. Iew.

Zoenen met de Reus, ik moet er niet aan denken. Bovendien is het de liefste en zachtaardigste leraar die ik ken en ik kan me gewoon niet voorstellen dat hij zijn vrouw zou bedriegen. Vorig jaar trakteerde hij ons nog op minicakejes met roze hartjes van marsepein omdat ze een miljoen jaar getrouwd waren. Echt, hij was zo gelukkig dat ik er bijna een beetje misselijk van werd. En hij heeft ook een foto van zijn vrouw op zijn bureau staan, waar hij elke dag dromerig naar zit te staren. Soms betrap ik hem erop dat hij de foto een handkusje toewerpt.

De vrouw van de Reus was vorig jaar nog mijn lerares Engels, maar nu is ze met pensioen. Toen ze hier nog werkte was het pas echt erg, want ze liepen altijd en overal hand in hand door de gangen. Ik zou het buitengewoon raar vinden als zo'n verliefde man een affaire met een leerling zou hebben.

Rogier zegt dat hij van zijn vader hoorde dat de vrouw van de Reus ernstig ziek is. Dat klinkt geloofwaardig en als het waar is, dan vind ik het heel erg zielig. Ik hoop dat ze snel weer beter wordt.

Toch ben ik wel heel blij met de tussenuren die we nu op maandag hebben.

Sterre gooit haar rugzak als eerste op een van de stoelen en gaat recht tegenover het lokaal van mevrouw Rechter zitten. Ik kruip op de stoel naast haar en kijk zoekend rond. Wááááár is Jesse? En dan zie ik hem. Hij zit links achteraan en staart afwezig uit het raam. Ik slaak een verliefde zucht. Wauw. Hij is zo... zwaar fantastisch enorm geweldig knap! En geweldig! En fantastisch! En knap! Sterre zit me een beetje spottend aan te kijken, omdat ik zit te zwijmelen, maar dat kan me helemaal niets schelen.

Mevrouw Rechter schuifelt door de klas en slaat keihard met haar aanwijsstok op de tafel van Jesse. Hij schrikt op en mijn hart maakt een sprongetje. Wauw! Zelfs als hij zich totaal doodschrikt is hij nog superknap. Ik zie mevrouw Rechter tegen Jesse tekeergaan.

Sterre schuift haar stoel naar achter en gaat net zo krom staan als mevrouw Rechter. 'Jesse, heerlijke jongeman, wat denk je dat je aan het doen bent?' vraagt ze met een raar hoog stemmetje.

Ik lach, schraap mijn keel en doe met haar mee. 'Nou, mevrouw Rechter, ik zit te denken aan een geweldig meisje. Ze heet Puck en ze zit in klas 2b en ze is zo mooi en leuk en slim dat ik bijna niet meer kan ademen,' zeg ik met een donkere bromstem die de stem van Jesse moet voorstellen.

In het lokaal zwaait mevrouw Rechter wild met haar stok door de lucht en ze maakt weidse gebaren met haar armen.

'Ooooo!' roept Sterre met haar hoge stemmetje en ook zij zwaait met haar armen en haar denkbeeldige stok heen en weer. 'Ooo, jonge en prille liefde! Zo mooi. Ik

zwaai nu even met mijn stok in de rondte om te bena-
drukken hoe mooi ik jonge en prille liefde vind!' roept
ze.

Ik schuif mijn stoel naar achter en ga rechtop staan.
'Ik kan aan niks anders meer denken, mevrouw Rechter,
ik wil Puck zo graag zoenen!' roep ik uitgelaten.

In het klaslokaal schuifelt mevrouw Rechter tussen de
tafeltjes door naar voren en begint onleesbare woorden
op het bord te schrijven.

'Klas, we gaan het hebben over zoenen. Wie heeft er
nog tips voor Jesse?' piept Sterre. Haar stem gaat steeds
hoger, ze klinkt nu een beetje als een hamster. Ik schiet
in de lach.

Ik wil een stap naar links doen, maar mijn voet blijft
haken achter een stoelpoot en ik verlies mijn evenwicht.
Voordat ik het weet lig ik plat op mijn gezicht. Een seconde lang is Sterre muisstil. Ze staat me met open mond
aan te gapen. En dan begint ze keihard te lachen. Ik voel
dat mijn hoofd vuurrood wordt en ik krabbel als een bezetene overeind.

Mevrouw Rechter heeft het tumult in de gang duidelijk
ook gehoord en kijkt geërgerd onze kant op. De verontwaardigde uitdrukking op haar gezicht zorgt ervoor dat ik
alleen nog maar roder word. Ik schuif weer op mijn stoel
en duik achter mijn biologieboek. Sterre kruipt naast me
en duikt lachend achter haar geschiedenisboek.

Na een halve minuut steek ik voorzichtig mijn neus

boven mijn boek uit en werp een blik in het klaslokaal. Ik kijk recht in het lachende gezicht van Jesse. De knalrode blos op mijn wangen is meteen in volle hevigheid terug. Dit kan niet waar zijn! Dit is echt te gênant voor woorden. Zou hij alles hebben gezien? Of nog erger, zou hij alles hebben gehoord? Met grote ogen kijk ik naar Sterre, maar aan haar heb ik helemaal niks, want zij ligt alweer in een lachstuip.

Wild graai ik mijn spullen van de tafel en prop alles in mijn rugzak. Zonder nog een blik in het klaslokaal te werpen, zonder Jesse verder nog aan te kijken, been ik weg.

'Puck! Wacht even.' Sterre grist haar tas van de tafel en hobbelt achter me aan. 'Sorry, Puckje. Het was gewoon zo grappig. En je werd zo rood,' zegt ze grinnikend.

Nijdig kijk ik haar aan. 'Je moet me helpen in een rampsituatie. Niet uitlachen,' val ik uit.

Ze trekt een pruillip en knippert met haar ogen. 'Sorry.'

Ik zucht en probeer mijn gezicht in de plooi te houden, maar dat lukt voor geen meter. Als Sterre je aankijkt met een pruillipje, dan is het compleet onmogelijk om kwaad op haar te blijven. Dan is ze veel te schattig.

Net als ik haar uit de goedheid van mijn hart wil vergeven, worden we onderbroken door gerinkel van een grote bos sleutels. Bas, de vader van Rogier en conciërge van onze school, loopt met grote passen langs ons. Ook hij heeft felrood stekeltjeshaar en zit onder de sproeten.

35

Ik mag Bas heel graag, hij is een van de coolste conciërges die je je maar kunt wensen op school. Meestal doet hij net of hij ons niet ziet als we weer eens ver na de bel de school binnen komen wandelen (en dat gebeurt nogal vaak). En als we moeten nablijven (dat gebeurt ook nogal vaak, vraag me niet waarom), dan heeft hij altijd wel een tof klusje voor ons.

De laatste keer mochten we meehelpen met het sorteren van de verkleedkleren voor de dramalessen. Ik mocht een heel gaaf mannencolbertje mee naar huis nemen, want dat was vanbinnen helemaal uitgescheurd. Mijn moeder heeft het gewassen en zo goed mogelijk hersteld. Daarna heb ik er zelf nog allemaal gekke dingen op genaaid, zoals rode en paarse lintjes en rare buttons en zo. En nu is het mijn jas. Het is echt de tofste jas die ik ooit heb gehad en ik wil nooit meer een andere. Sterre had een hoge zwarte hoed mee naar huis genomen en die heeft ze twee weken lang onafgebroken gedragen. Hij stond haar echt heel gaaf, maar hij zakte de hele tijd over haar ogen heen, het was niet bepaald een praktisch kledingstuk. Bovendien moest ze haar hoed tijdens elke les afdoen, want om een of andere rare, dubieuze reden willen docenten altijd je gezicht kunnen zien.

'Dag, mooie dames,' groet Bas en hij neemt zijn pet voor ons af. Ik geloof niet dat ik de vader van Rogier ooit zonder zijn bruine vilten pet heb gezien; het staat hem echt heel wijs.

'Dag, Bas!' roepen we tegelijkertijd.

Mijn oog valt op de enorme stapel flyers die hij onder zijn arm heeft. 'Waar is dat voor?' vraag ik, terwijl ik naar de flyers wijs.

Bas pakt het bovenste blaadje van de stapel en geeft het aan mij. 'Er komt een musical op school over Alice in Wonderland,' zegt hij. 'Volgende week zijn er audities.' Hij kijkt ons aan met een overdreven verbaasde blik, alsof hij opeens op een geweldig idee is gekomen. 'Hé, is het misschien iets voor jullie?'

Ik gris het blaadje uit zijn handen en kijk er ongelovig naar. Natuurlijk is het iets voor ons! Wauw. Een musical. Sterre kijkt over mijn schouder mee en ik hoor haar gelukzalig zuchten.

'Er hangt al een inschrijflijst naast mijn kantoor. Ik zie jullie wel weer, hè meiden?' Bas tikt tegen zijn pet en geeft ons een knipoog.

'Doei!' mompel ik nog, maar ik kijk hem niet meer aan. Dit is geweldig. Een musical over Alice in Wonderland! Mijn ogen vliegen over de tekst.

Ze zoeken hoofdrolspelers en zangers. Jammer genoeg kan ik niet zingen. En dat is niet overdreven. Ik kan echt, echt, echt niet zingen. Nou ja, in een groepje met minstens vijfhonderdvijfendertig andere mensen, dan kan het wel. Maar in mijn eentje? Solo? Zo'n ernstige marteling wil ik geen enkel oor aandoen.

Mijn oog valt op de laatste regel van de tekst: DANSERS

GEZOCHT. Ik vergeet bijna adem te halen en kijk enthousiast naar Sterre. Ze kijkt net zo enthousiast terug.

Dit is het! Ik ben een danser! Nou ja, een danser zonder danslessen en zonder danslerares, maar toch... 'Ik ben een danser!' roep ik enthousiast door de school.

'Ik ook!' gilt Sterre.

4

'Welkom allemaal.' Mijn biologieleraar wiebelt een beetje ongemakkelijk heen en weer. Ik zit samen met Sterre en nog drieëntwintig andere leerlingen op een lange bank in de gymzaal en kijk naar de nerveuze man voor ons. 'Het doet me genoegen dat jullie allemaal zo enthousiast zijn om mee te doen aan de schoolmusical *Wonderland*.' Hij draait zenuwachtig met zijn vingers aan zijn wuivende, lange, blonde haar.

Nou ja, het is niet echt wuivend. Het is eigenlijk nogal groezelig en hangt met dikke, vette slierten langs zijn gezicht. Het is lang en zit vol dode punten. Elk haartje op het hoofd van meneer Van Vlimmeren splijt zich ongeveer halverwege zijn gezicht in tweeën en hangt dan maar een beetje zieligjes te hangen tot ver na zijn schouders. En hij heeft een grote blond-met-grijze baard waar altijd etensresten in blijven plakken. Ik vind het dan ook totaal ondoenlijk om normaal naar hem te luisteren; het enige waar ik me op kan concentreren is de rommel in zijn baard. Vandaag hangen er stukjes aardappelsalade en gerookte zalm in. Ik ril van afschuw. Aardappelsalade met zalm? Wat is dat nou weer voor rare combinatie om te eten tijdens je lunch?

'Je mond hangt open.' Sterre geeft me een harde por tegen mijn schouder.

'Au!' roep ik, veel te hard en ik sla meteen een hand voor mijn mond.

Maar het is al te laat. Meneer Van Vlimmeren kijkt geïrriteerd op en hij zucht diep.

'Puck,' zegt hij.

Dat doet hij nou altijd. Hij zegt mijn naam en kijkt me dan diep teleurgesteld aan, alsof ik net per ongeluk de wereld heb verwoest of zoiets.

'Sorry,' mompel ik. Ik wrijf over mijn pijnlijke schouder en kijk Sterre boos aan.

'*Wonderland* is gebaseerd op het wereldberoemde verhaal van Alice, die terechtkomt in een wonderland en daar allemaal vreemde wezens ontmoet,' gaat meneer Van Vlimmeren verder op dezelfde gespannen toon. 'We hebben slechts een paar maanden om deze productie te maken, dus we verwachten honderd procent inzet.' Hij kijkt afwachtend rond om te zien of iedereen daar wel op heeft gerekend. 'Honderd procent inzet,' herhaalt hij langzaam en doordringend, alsof hij verwacht dat niet iedereen het daar mee eens zal zijn.

Even is het helemaal stil in de zaal.

'Deze dansauditie zal ongeveer een uur duren,' gaat hij uiteindelijk verder. 'In het eerste halfuur leren jullie een dans en in het tweede halfuur voeren jullie die in kleine groepjes op. Wij kiezen daaruit de tien kandidaten die uiteindelijk mee mogen doen aan *Wonderland.*'

Wauw, tien kandidaten. Dat betekent dat er vijftien kandidaten afvallen, dat is meer dan de helft! De meeste leerlingen die zich hier hebben verzameld ken ik alleen van gezicht en ik heb echt geen idee hoe ze dansen. Uit mijn klas zijn Sterre, Merel, Eline en ik gekomen. Merel doet aan ballet op heel hoog niveau. Ze kan op spitzen dansen en is megalenig; zij is vast een geduchte tegenstander. Maar het ergste is toch wel dat Eline erbij is. We liepen net tegelijk de gymzaal binnen en we hebben al een vuile blik met elkaar gewisseld. Mijn voeten schuiven rusteloos heen en weer, ik heb ze totaal niet onder controle.

'Ik wil alvast dat jullie weten dat ik iedereen hier nu al een kampioen vind, of je door de auditie komt of niet!' Meneer Van Vlimmeren zwaait zijn vuist omhoog om zijn woorden kracht bij te zetten. Hij kijkt afwachtend om zich heen en het is duidelijk dat hij een applaus verwacht.

Maar het blijft stil. Langzaam laat hij zijn vuist weer zakken en hij schraapt zijn keel.

'Ahem, juist ja...' Hij pakt weer een pluk haar en begint eraan te draaien.

Ik kijk om me heen. Wie gaat ons eigenlijk die dans leren? Een voor een bekijk ik de leraren. Meneer Van Vlimmeren valt meteen al af, want ik denk niet dat hij ooit in zijn leven iets sportiefs heeft gedaan. Hij is bleek en zo dun dat ik soms het gevoel krijg dat ik hem zonder problemen omver kan blazen.

Schuin achter hem zit mevrouw Veer. Zij is onze gymdocente, maar ook haar zie ik niet dansen, want ze is ongeveer zo elegant als een baksteen. Alles aan haar is groot en breed en best wel angstaanjagend. Haar twee grote passies zijn trefbal en kogelstoten, en eigenlijk is dat ook het enige wat we doen tijdens de gymlessen. Ik heb pas anderhalf jaar les van haar, maar ik kan nu al geen trefbal of kogel meer zien. Sterre en ik hebben aan haar voorgesteld een gymles te verzorgen, zodat zij lekker kan uitrusten of koffiedrinken of dagdromen over kogels. We hadden zelfs een heel gedetailleerde indeling gemaakt met supertoffe gymactiviteiten, zoals apenkooien en hoelahoepen, maar mevrouw Veer wilde er niets van weten.

Naast mevrouw Veer zit meneer Van Daalen, hij geeft culturele kunstzinnige vorming en is groot fan van vragenlijsten. Meestal laat hij ons een film kijken en aan het eind van de les deelt hij daar dan een vragenlijst over uit. Ik denk niet dat hij naast het bedenken van die duizenden vragen nog tijd overheeft om een dans te maken. Bovendien is hij klein en kaal en kan ik me gewoon niet voorstellen dat hij ritmegevoel heeft. Nee, er moet nog iemand anders zijn...

'Verder heb ik ontzettend goed nieuws.' Meneer Van

Vlimmeren is even stil en kijkt ons een voor een met twinkeloogjes aan.

Sterre buigt zich naar me toe en fluistert: 'Hij gaat nu vast vertellen dat hij vanavond voor het eerst in zijn leven zijn baard gaat wassen.'

Ik grinnik zachtjes, maar meneer Van Vlimmeren hoort me en kijkt me weer teleurgesteld aan.

'Puck,' zegt hij weer.

Echt hoor, als ik vijf cent zou krijgen voor elke keer dat die man diep teleurgesteld mijn naam uitspreekt, dan zou ik nu al miljonair zijn.

Hij richt zich weer naar de groep en gaat verder: 'We hebben het ongelooflijke geluk dat een van onze oud-leerlingen heeft aangeboden om de danslessen te gaan verzorgen. Ze is zelf erg succesvol in het dansleven en wil graag iets terugdoen voor de school.'

Ik kijk nieuwsgierig rond, maar nergens is een oud-leerling te bekennen. Ik vraag me af wie het is, want ik heb nog nooit iets gehoord over een leerling van onze school die succesvol is in het dansleven. Zou ze dansen op Broadway in New York of Londen? Wauw, dat zou wel heel gaaf zijn, als we les zouden krijgen van een be-roemde danseres. Van opwinding val ik bijna van de bank af.

'Ze is ook de zus van een van onze huidige leerlin-gen...' gaat meneer Van Vlimmeren verder. Mijn herse-nen raken bijna oververhit van al het extreme nadenken

– wie bedoelt hij in vredesnaam? De zus van een van onze huidige leerlingen? Iemand die succesvol is in het dansleven? Ik kijk Sterre aan, maar ook zij zit met een diepe denkrimpel in haar voorhoofd.

'... en ik zie dat haar zusje ook meedoet met de audities.'

Haar zusje? Haar zusje doet mee met de audities? Mijn biologieleraar knikt naar iemand die recht tegenover hem zit en opeens krijg ik een naar gevoel. Het lijkt alsof er een steen van duizend kilo in mijn buik zit. Ik verrek mijn nek bijna om erachter te komen naar wie meneer Van Vlimmeren knikte, maar ik kan het net niet zien. Sterre draait haar hoofd mijn richting op en ik zie aan haar gezicht dat ze hetzelfde denkt als ik. Eigenlijk weten we het allebei: meneer Van Vlimmeren knikte naar Eline en als Eline het zusje is, dan...

De deuren van de gymzaal vliegen open en Lonneke komt met een verhit hoofd binnen rennen. De steen in mijn buik weegt ineens geen duizend kilo meer, maar honderdduizend kilo. 'Sorry dat... ik... zo laat... ben,' hijgt ze. 'Mijn auto...'

Ik zal waarschijnlijk nooit weten wat er met haar auto aan de hand is, want het lukt haar niet om haar zin af te maken. Ze staat stil om op adem te komen en steunt met haar handen op haar knieën. 'Mijn auto...' hijgt ze weer. Hoe kan iemand met zo'n slechte conditie nou dansles geven? Ik kijk naar meneer Van Vlimmeren, in de hoop dat hij dit probleem ook inziet, maar die hoop is snel weer vervlogen.

'Welkom!' schreeuwt hij (ja, meneer Van Vlimmeren begint altijd te schreeuwen als hij heel enthousiast wordt). 'Welkom, Lonneke Leegwater!' Hij slaat joviaal zijn arm om haar heen en begeleidt haar naar een stoel.

'Ik heb de dames en de enkele heren die zich wagen aan deze bloedstollend spannende audities al ingelicht over de procedure!' vervolgt hij al schreeuwende.

Ik trek een wenkbrauw op en kijk naar mijn biologie-leraar. Waarom begint hij ineens zo raar te doen?

'Zij hebben eveneens van mij vernomen dat jij, Lon-neke Leegwater, hen zal begeleiden tijdens dit enerve-rende avontuur.'

Ik kijk Sterre aan en ze kijkt niet-begrijpend terug.

'Ik, als hoofd van het musicalcomité, zal juryvoorzitter zijn en de zware taak op mij nemen een selectie te ma-ken van de tien beste dansers. Uiteraard zal ik daarbij bijgestaan worden door mijn zeer gewaardeerde collega's en door jou, Lonneke Leegwater.' Meneer Van Vlimmeren slaat zijn handen in elkaar en maakt een buiging naar de stoel waarop Lonneke zit. Lonneke begint voorzichtig te klappen, maar houdt daarmee op als ze merkt dat nie-mand meedoet en kijkt een beetje verward om zich heen.

Ineens begrijp ik het, meneer Van Vlimmeren vindt Lonneke leuk! Hij staat zich enorm uit te sloven voor haar. Ik doe mijn best mijn lach in te slikken, maar er komt toch weer een raar proestgeluid uit mijn mond. Ik moet echt eens leren al die rare geluiden onder controle te krijgen! Deze keer zegt meneer Van Vlimmeren gelukkig niks, hij kijkt niet eens geïrriteerd op. Hij heeft alleen maar oog voor Lonneke.

Even is het doodstil in de gymzaal. Iedereen kijkt naar meneer Van Vlimmeren, die op zijn beurt zijn ogen niet van Lonneke af kan houden.

Dan doorbreekt meneer Van Daalen de stilte door zijn keel te schrapen.

Meneer Van Vlimmeren knippert met zijn ogen en mompelt: 'Eh... juist ja... Dan geef ik nu het woord aan Lonneke Leegwater.'

Lonneke knikt en staat op. 'Goed,' zegt ze, nog steeds een beetje buiten adem, 'deze auditie is belangrijk, dus doe je best. Sommigen van jullie krijgen de mogelijkheid te dansen in de musical...' Ze kijkt naar de groep die ze voor zich heeft en haar blik valt onmiddellijk op mij. Ik zit stokstijf op de bank, mijn handen klemmen zich vast aan de rand en mijn knokkels zijn helemaal wit uitgeslagen. Ik weet niet of ik terug moet staren of naar de grond moet kijken, maar eigenlijk hoef ik die beslissing helemaal niet te nemen, want ik heb toch geen controle meer over mijn lijf.

'... en anderen krijgen die kans niet,' vervolgt Lonneke, zonder haar blik van me af te wenden. Ik staar terug naar haar zonder te knipperen, het lijkt wel of al mijn spieren ineens gezamenlijk besloten hebben om niet meer naar me te luisteren.

Ik voel Sterres hand tegen mijn arm. 'Puck,' fluistert ze, 'Puck, gaat het?'

'Als er verder geen vragen meer zijn, dan gaan we beginnen,' zegt Lonneke en ze klapt in haar handen. Iedereen om me heen staat op en zoekt een plaatsje in de gymzaal.

'Puck, kom,' zegt Sterre weer en ze sjort aan mijn arm.

Eindelijk beginnen mijn spieren weer een beetje mee te werken en ik strompel achter Sterre aan. Lonneke staat in een hoekje van de zaal met haar zusje te praten en om de beurt kijken ze naar mij.

'Niks van aantrekken, het komt wel goed,' zegt Sterre sussend. Maar de steen in mijn maag wordt alleen maar zwaarder en zwaarder. En opeens weet ik niet zeker of ik het wel met Sterre eens ben.

5

'Tak! Tak! Tak!' Lonneke schreeuwt en Eline staat vooraan. Het is alsof de dramatische zaterdag van anderhalve
week geleden nooit heeft plaatsgevonden, alsof ik toen
nooit over mijn toeren de dansles ben uit gerend. 'Hou
je armen recht, draai, *kick ball change*, hou je benen
recht, het moet strak! Tak! Tak!'

Iedereen doet zijn best. Zelfs ik probeer zo houterig
mogelijk te dansen, zoals Lonneke het graag wil. Ik
moet en zal meedoen met *Wonderland*, en als ik daarvoor een beetje stijver moet dansen dan normaal, dan
doe ik dat. Ik laat me niet nog een keer wegjagen.

Ineens hoor ik Lonnekes stem achter me: 'Puck, zoals
gewoonlijk hangen je armen er maar weer een beetje
bij.' Ik kijk naar mijn armen, strakgespannen en helemaal recht. Hoe kan ze dat nou zeggen? Iedere debiel
kan toch zien dat mijn armen superstijf en kaarsrecht
zijn? Maar niemand zegt iets en het lijkt me verstandig
om mijn mond te houden.

Ik knik en probeer de spieren in mijn armen nog ste-
viger te spannen (wat echt onmogelijk is). Lonneke zucht
overdreven als ze langs me naar voren loopt.

'Jongens, goed gedaan! We gaan de dans nog een keer
met zijn allen doen en daarna begint de selectie,' kon-

digt ze aan en ze klapt weer in haar handen. 'Erwin, wil jij even van plek wisselen met Eline? Ik denk dat het beter is als Eline even voor Puck gaat staan, zodat Puck kan afkijken, want zij heeft de dans nog niet helemaal begrepen.'

Ik bal mijn vuisten en ik voel mijn nagels in mijn hand prikken. Eline komt voor me staan en heel eventjes draait ze zich naar me om. Het bekende valse lachje speelt weer om haar mond en ze geeft me een dikke, vette, gemene knipoog.

Ik ben woest. Furieus! Maar ik bijt heel hard op mijn lip en zeg nog steeds niks. Wauw, ik sta echt versteld van mijn eigen wilskracht.

De muziek begint en ik probeer me te concentreren op het ritme. 'Vijf, zes, zeven, acht!' telt Lonneke. Ze staat zelf vooraan en begint wild met de eerste passen. Terwijl ik dans kijk ik om me heen naar de concurrentie. Sterre danst geweldig en Eline helaas ook, zoals gewoonlijk. Merel beweegt zich heel elegant en gracieus, maar ik zie dat ze een beetje moeite heeft met de routine. Misschien hoef ik me over Merel toch geen zorgen te maken. Er zijn nog zes andere meisjes die verschrikkelijk goed kunnen dansen. De jongens bakken er niet veel van, behalve Erwin. Hij gooit al zijn energie erin en ziet er ontzettend cool uit. Ik moet toch eens vragen waar hij dat heeft geleerd.

Even later zit ik met mijn rug tegen de muur en pro-beer me te ontspannen. Het moment van de waarheid is bijna aangebroken. Zo meteen worden we groepje voor groepje binnengeroepen en moet ik op mijn best zijn. Sterre zit naast me en bijt op haar nagels. Zonde, want we hebben gister onze nagels fluorescerend geel en oranje ge-lakt, zodat we zouden opvallen tijdens de audities.

'Kom,' zeg ik en ik ga in kleermakerszit zitten. 'We gaan mediteren om tot rust te komen.' Ik sluit mijn ogen, leg mijn handen op mijn knieën en maak een rondje met mijn duim en wijsvinger.

Sterre volgt mijn voorbeeld. 'Huuuuuuuuum,' bromt ze en ik mompel een beetje met haar mee. Ik probeer me te concentreren op mijn ademhaling en op het ge-brom van Sterre, maar het lukt voor geen meter. Ik ben echt helemaal overspannen geraakt door dit hele gedoe.

'Huuuuuuuuuum,' bromt Sterre nog eens.

Voorzichtig spiek ik tussen mijn wimpers door en in-eens zie ik een heel groot been in mijn gezichtsveld ver-schijnen. Er staat iemand voor me. Ik open mijn ogen en kijk langs het been omhoog. Het is van Eline.

'Hai,' zegt ze poeslief, 'ik wil je nog even succes wen-sen met je auditie. Ik hoop dat je door de selectie komt.'

Ik kijk haar met open mond aan. Gebeurt dit nu echt? Ik geloof er geen bal van dat ze dit echt meent. 'Eh, dank je wel. Jij ook,' zeg ik. Ik kan het niet helpen dat ik nogal aarzelend klink. Wat wil ze nu eigenlijk? Vriendinnen worden? Ze heeft me twee jaar lang samen met haar zus tijdens de zaterdagse danslessen geterroriseerd!

Eline maakt aanstalten om weg te lopen, maar ze draait zich nog een keer naar me om. 'O ja, Puck? Je denkt toch niet dat mijn zus je met de musical mee laat doen, hè?'

Ik spring overeind, met de bedoeling om Eline aan te vallen en al haar haren uit haar hoofd te trekken en om haar ogen uit te krabben. En om haar zo'n harde schop onder haar verwaande kont te geven dat ze haar hele leven op een zijden kussentje moet zitten!

'Nee, Puck!' Sterre kruipt naar me toe en klemt zich als een koalabeertje aan mijn linkerbeen vast. 'Ze is het niet waard, het is Eline maar. Doe het nou niet, straks word je nog geschorst of zoiets. En dan mag je al helemaal niet meer meedoen.'

Ik probeer haar van me af te schudden, maar ze weigert mijn been los te laten. Het is zo'n hilarisch gezicht om Sterre aan mijn been te zien hangen dat ik in de lach schiet. Ik verlies mijn evenwicht en stort half op Sterre neer. Heel even ben ik Eline vergeten. Waar maak ik me toch ook eigenlijk druk om? Er zitten meer mensen in de jury naast Lonneke en iedere idioot kan zien dat ik kan dansen.

Eline staat met twee vriendinnen naar me te kijken terwijl ik een poging doe om weer rechtop te krabbelen. Ze zien er verwaand uit, maar ik haal mijn schouders op en help Sterre overeind. Eline en Lonneke kunnen wat mij betreft in hun eigen sop gaar koken.

Ineens piept het hoofd van meneer Van Vlimmeren achter de gigantische deuren van de gymzaal vandaan. 'Merel, Erwin en Sanne. Jullie zijn aan de beurt.' Hij leest de namen van een blaadje. Meteen verdwijnt zijn hoofd weer en Merel, Erwin en Sanne lopen nerveus de zaal binnen. De deuren gaan achter hen dicht en even later kan ik de gedempte muziek horen.

Drie minuten daarna komen ze alweer naar buiten lopen. Het gezicht van Merel staat op onweer.

'Hoe ging het?' vraagt Sterre aan haar, maar Merel schudt haar hoofd alleen maar en gaat terneergeslagen op de grond zitten.

Het hoofd van meneer Van Vlimmeren verschijnt weer en hij noemt weer drie namen op. Sterre wordt opgeroepen en voordat ze de gymzaal in loopt knijp ik zachtjes in haar hand om haar een beetje gerust te stellen.

Maar zelf voel ik me totaal niet gerust. Ik heb last van een vervelende zenuwkriebel in mijn buik en het lijkt wel alsof er allemaal vlinders in rondfladderen. Alleen niet de leuke vlindertjes die ik voel als ik aan Jesse denk, maar enorme, kolossale monstervlinders die als een gek hun reuzenvleugels tegen mijn buik heen en weer flapperen.

Na een eeuwigheid komt Sterre weer naar buiten lopen, met een glimlach van oor tot oor. 'Het ging heel goed,' rapporteert ze. 'Ik heb maar één foutje gemaakt.'

Ik ben heel blij voor haar, maar door die rottige reuzen-vlinders kan ik niets meer uitbrengen. Waarom duurt het zo lang voordat ik aan de beurt ben? Steeds meer mensen worden naar binnen geroepen en komen met een opgelucht gezicht weer naar buiten.

'Eline, Puck, Björn en Nadia, jullie zijn de laatste vier!' roept meneer Van Vlimmeren vanuit de zaal.

We schuifelen met z'n vieren ongemakkelijk naar bin-nen. Voor in de zaal staat nu een lange tafel waar meneer Van Vlimmeren, mevrouw Veer, meneer Van Daalen en Lonneke hebben plaatsgenomen. Ze zitten alle vier met een collegeblok voor hun neus en een pen in hun han-den. Mevrouw Veer heeft een leesbrilletje schuin op haar neus gezet en kijkt er fronsend overheen. Het ziet er heel gek uit, zo'n grote vrouw met een piepklein brilletje op.

'Welkom,' zegt Lonneke terwijl ze opstaat en ze knip-oogt bijna ongemerkt naar haar zusje. Dan loopt ze naar de stereo en voordat ze op PLAY drukt, roept ze: 'Succes!' De muziek komt hard uit de speakers en Lonneke telt af.

Al na drie seconden weet ik het: deze auditie ga ik echt helemaal de pan uit rocken! Het gaat echt geweldig, ik hoef helemaal niet na te denken. Automatisch doe ik alle stappen en bewegingen goed en helemaal strak.

Naast me heeft Eline meer moeite. Ze is duidelijk zenuwachtig. Een paar keer begint ze te laat met een beweging en ze raakt de tel kwijt. Het ziet er niet goed uit. Ik zie dat meneer Van Vlimmeren bedenkelijk naar haar zit te turen; af en toe buigt hij zich over zijn college-blok om iets op te schrijven.

Ikzelf dans nog steeds foutloos en ik zie dat Eline met een schuin oog naar me zit te loeren. Ze probeert weer in het ritme te komen door mij na te doen. Het kan me niet schelen. Ik voel me goed en ik dans beter dan ooit.

Als de muziek stopt steekt meneer Van Vlimmeren goedkeurend een duim naar me op en buigt zich dan naar mevrouw Veer. Ook zij bekijkt me met een goed-keurende blik. Ik ben door, ik weet het zeker. Het liefst zou ik nu op ze af springen en ze knuffelen van blijd-schap.

Lonneke stapt naar voren. 'Dank jullie wel, jullie heb-ben het fantastisch gedaan. De jury zal nu in beraad gaan en over een minuut of tien komen we de uitslag bekend-maken.'

Ik loop als laatste de gymzaal uit.

Sterre staat bij de deur op me te wachten. 'En?'

Zo gauw ik de deuren van de gymzaal in het slot hoor vallen kan ik me niet meer inhouden. Ik spring enthou-siast op en neer en klap in mijn handen. 'Het ging zóóó goed,' juich ik en Sterre begint uitgelaten met me mee te springen.

Al snel komt de complete jury naar buiten stappen en Lonneke neemt het woord. Ze heeft een lijstje in haar handen. 'Luister goed,' zegt ze, 'we hebben een heel moeilijke keuze moeten maken. Jullie hebben het allemaal geweldig gedaan en ik wil iedereen bedanken voor de geweldige inzet. Voel je niet al te erg teleurgesteld als je niet door bent. Je kunt het volgend jaar gewoon weer proberen.'

Mijn hartslag gaat steeds sneller en sneller en ik probeer diep en rustig adem te halen. Het lukt niet echt. Sterre grijpt mijn hand en knijpt er keihard in. Zo hard dat ik even bang ben dat hij spontaan af zal sterven.

'Als ik je naam niet noem, dan doe je helaas niet mee met de musical,' kondigt Lonneke aan en ze houdt het lijstje omhoog. 'Sanne, Nathalie, Erwin...'

Bij elke naam die ze noemt houd ik even mijn adem in. Mijn hart klopt nu echt zo snel dat het me niet zou verbazen als het zo meteen uit mijn borstkas springt.

'Merel, Leonie, Björn...'

Oké, er zijn nu zes namen genoemd. Zes namen. Nog vier te gaan. Ik begin spikkeltjes voor mijn ogen te zien. Kleine zwarte spikkeltjes die heel irritant van links naar rechts springen. Het lijkt wel alsof mijn hele lichaam langzaam maar zeker aan het instorten is. Dat kan ik nu echt niet gebruiken, hoor.

Hallo lichaam, luister eens. Ik moet waarschijnlijk straks wekenlang twee keer in de week repeteren voor een musical, dus je kunt nu niet instorten, alsjeblieft dank je wel. Ik sluit mijn ogen en probeer mijn hart tot rust te manen. Het helpt niks.

'Sterre, Daniëlle, Katherina...'

Naast me hoor ik een zucht van opluchting. Ik ben blij voor Sterre. Echt waar! Ik kruis de vingers van mijn vrije hand en probeer te visualiseren dat mijn naam als laatste op de lijst staat. Volgens mijn moeder helpt dat, om te visualiseren wat je doel is, dan komen de dingen vanzelf naar je toe. Ik ben daar nogal sceptisch over, want toen ze me dat vertelde heb ik meteen gevisualiseerd dat ik mijn proefwerk voor natuurkunde fantastisch zou maken. Alleen kreeg ik er een vier voor. Maar goed, ik wil dit visualiseergedoe best nog een kans geven.

'En de laatste die meedoet met de musical *Wonderland...*' hoor ik Lonneke zeggen. Ik knijp mijn ogen stijf dicht en visualiseer me helemaal suf. '... is Eline!'

Het lijkt wel alsof er spontaan een gat in de grond verschijnt dat me met een hoop geweld naar binnen zuigt. Haar naam dreunt na in mijn hoofd. Eline. Eline. Ik kijk ongelovig naar Lonneke en de leraren die vrolijk staan te klappen voor iedereen die geselecteerd is. Ik danste veel beter dan Eline! Veel beter!

'Puck...' zegt Sterre zacht, terwijl ze een arm om me heen slaat en me stevig tegen zich aandrukt. In een soort trance leun ik tegen Sterre aan, terwijl Elines naam nog steeds door mijn hoofd echoot.

Over Sterres schouder heen kijk ik naar de jury. Meneer Van Vlimmeren heeft een hand op de schouder van Lonneke gelegd terwijl hij geanimeerd met haar staat te praten. Lonneke knikt en lacht, maar ze lijkt niet echt naar hem te luisteren. Plotseling kijkt ze me recht aan. Ik schrik een beetje van haar intens gemene blik. Ik heb nog nooit iemand zo naar me zien kijken. Dan glimlacht ze naar me. Het is de engste glimlach die ik ooit heb gezien. Er spreekt pure afkeer uit. En ineens weet ik zeker dat Lonneke zojuist haar uiterste best heeft gedaan te voorkomen dat ik door de selectie zou komen. Wat zou ze tegen meneer Van Vlimmeren hebben gezegd? Dat ik niet kan dansen? Dat ik moeite heb met het opvolgen van aanwijzingen? Dat ik regelmatig haar les verstoor?

Lonneke richt haar aandacht weer op meneer Van Vlimmeren en aait hem over zijn arm. Hij verstijft helemaal. Ik knijp mijn ogen tot spleetjes. Wat een valse, gemene, slechte, laag-bij-de-grondse, vinnige, akelige, doortrapte, geniepige heks is ze toch! Ze staat meneer Van Vlimmeren gewoon te verleiden!

Ineens klapt Lonneke nog een keer hard in haar handen. 'Oké, attentie iedereen. Nogmaals hartelijk bedankt voor het meedoen aan deze auditie. Voor de mensen die het niet hebben gered: volgende keer beter. Willen de dames en de heren die wel geselecteerd zijn alsjeblieft naar voren komen? Er moeten nu afspraken gemaakt worden.'

Sterre laat me los en kijkt me bezorgd aan. Ik zie aan haar gezicht dat ze zich superschuldig voelt en niet zeker weet of ze me wel even alleen kan laten.

Ik knik haar toe. 'Ga dan, ze hebben je nodig,' zeg ik. En ik probeer er een glimlach uit te persen.

Sterre knikt, geeft me nog een stevige knuffel en loopt dan in de richting van Lonneke. Ik kijk haar na en ineens beginnen er weer tranen achter mijn ogen te prikken. Ik wrijf hard in mijn ogen. Waarom ben ik zo'n huilebalk?

Maar deze keer gun ik Lonneke mijn tranen niet. Ik wend mijn ogen van haar af, pak mijn tas van de grond en ren naar de toiletten.

6

Goed, ik heb net weer eens keihard staan huilen. In de spiegel zie ik een vlekkerig gezicht met mascarastrepen, een enorme rode snotneus en twee opgezwollen, bloeddoorlopen ogen. Ik ben echt heel erg aantrekkelijk zo, dat is duidelijk.

Gelukkig is het al vier uur geweest en zelfs het laatste lesuur van vandaag is al lang en breed voorbij. Behalve de mensen die zojuist mee hebben gedaan aan de dansauditie is er bijna niemand meer in de school.

Ik open de deur van een van de wc-hokjes en pak een rol wc-papier. Misschien kan ik de schade nog een beetje beperken. Zo goed en zo kwaad als het gaat wrijf ik de uitgelopen mascara weg. Ik weet niet precies hoe ik het voor elkaar krijg, maar de smurrie zit echt overal. Mijn kin, mijn wangen, mijn neus en mijn voorhoofd zitten helemaal onder de zwarte strepen. En mijn neus blijft ook maar lopen, hoe vaak ik hem ook snuit.

Ik probeer mijn gezicht weer een beetje toonbaar te maken, maar het helpt allemaal niks. Ik doe de capuchon van mijn trui over mijn hoofd, trek de touwtjes strak aan en inspecteer mezelf in de spiegel. Het ziet er niet uit, maar het verbergt in elk geval mijn gezicht vol strepen, vlekken en snot. Hoe kom ik nou weer veilig vanaf hier bij mijn fiets zonder dat iemand mijn afgrijslijke hoofd ziet? Ik hijs mijn tas op mijn rug, duw de deur een klein stukje open en probeer te kijken of de kust veilig is. De gang ziet er leeg uit en ik besluit het risico te nemen. Langzaam duw ik de deur nu helemaal open en stap naar buiten. Mijn hand houd ik zoveel mogelijk voor mijn gezicht en ik kijk naar de grond. Zo, en nu wegwezen.

Om Lonneke en de anderen in de gymzaal te ontwijken neem ik een omweg waarbij ik drie lange gangen door moet lopen. Op een drafje ren ik de bijna verlaten school door en ik bid maar dat ik niemand tegenkom.

Heel even gaat het goed. De eerste gang is helemaal uitgestorven en in de tweede zie ik alleen mevrouw Rechter in haar slakkentempo heen en weer schuifelen. Ik hoef alleen nog maar een keer de hoek om en dan is de uitgang al in zicht. Ik kan de vrijheid zowat ruiken.

Ik trek de touwtjes van mijn capuchon nog wat strakker aan, blijf naar beneden kijken en versnel mijn pas als ik de hoek omga, maar ik houd mijn ogen strak naar de grond gericht. Ik ben er bijna, ik ben er bijna, ik ben er...

BAM! Ineens knal ik heel hard tegen iets aan. Nee, tegen iemand. Bijna verlies ik mijn evenwicht, maar twee handen grijpen mijn schouders en zorgen ervoor dat ik staande blijf. Boos kijk ik omhoog. Wie gaat er dan ook zo stiekem om het hoekje staan? Dan vraag je er toch zeker om dat er mensen tegen je aanlopen? Ik open mijn mond om degene voor mij eens flink de wind van voren te geven. Maar dan staar ik plotseling in de mooiste bruine ogen van het universum, die mij heel vriendelijk aankijken. Ik kan helemaal niets meer uitbrengen.

'Hé, gaat het wel goed?'

Wauw, en nu hoor ik ook nog eens de mooiste stem die ik ooit heb gehoord. Zwaar. Donker. Geweldig. Dit is vast een droom. Waarschijnlijk ben ik flauwgevallen door mijn huilbui en alle spanning en stress en lig ik nu ergens in de school ijlend en kwijlend op de grond. Ik hoop maar dat Sterre me mist en niet te lang bij Lonneke blijft staan. Laat het alsjeblieft zo zijn dat ze me gaat zoeken, want wie weet hoe lang ik daar anders moet blijven liggen.

Er wordt een grote, warme hand op mijn schouder gelegd. 'Hé.'

Ik schud met mijn hoofd en knipper met mijn ogen. De mooie, bruine, vriendelijke ogen kijken me nu een beetje bezorgd aan en ik probeer geruststellend te lachen.

'Ja, het gaat wel,' snik ik, terwijl ik een poging doe om de tranen en al het snot dat uit mijn neus loopt met de rug van mijn hand weg te wrijven. Ik maak het er alleen maar erger door. Heel fijn, nu zit mijn hand er ook nog onder.

'Hier.' Jesse, de eigenaar van de mooie ogen, de geweldige stem en de warme hand biedt me een zakdoek aan. Ik pak het stukje stof dankbaar aan en probeer mijn gezicht zo droog mogelijk te maken.

Als ik de zakdoek terug wil geven zegt hij: 'Die mag je hebben.'

Ik knik en voel dat ik knalrood word. Natuurlijk wil hij die zakdoek niet terug, er zit nu allemaal snot van mij aan! Iew! 'Dank je wel,' zeg ik sniffend. Ik prop de zakdoek in mijn broekzak en pluk zenuwachtig aan mijn trui.

'Geen probleem,' zegt Jesse. Hij geeft me een knipoog en even denk ik dat ik nu echt flauw ga vallen. 'Je hebt niet bepaald een goede week, hè?' zegt hij dan.

Ik kijk hem niet-begrijpend aan. 'Week?' mompel ik.

Jesse glimlacht; het is de geweldigste glimlach die ik ooit in mijn hele leven heb gezien. 'Ja, laatst ging het ook al mis. Toen viel je van je stoel, weet je nog?' Hij grinnikt.

Mijn gezicht begint te gloeien en ik voel de knalrode kleur steeds verder naar boven kruipen. Mijn hele hoofd staat nu echt in vuur en vlam, je zou er waarschijnlijk een ei op kunnen bakken. 'Eh...' stamel ik. 'Nee hoor, dat was de bedoeling. Dat doe ik altijd.' Ik kan mezelf wel slaan. *Dat was de bedoeling? Dat doe ik altijd?* Welke idioot valt er expres altijd van haar stoel? Dat slaat nergens op. Ik moet iets beters verzinnen, voordat hij nog denkt dat ik compleet krankzinnig ben. Mijn hersenen draaien overuren om iets te bedenken waardoor ik me uit deze benarde situatie kan redden.

'Ja... eh...' stotter ik. 'Ik deed een oefening. Een veiligheidsoefening. Je weet wel, voor als er ineens een aardbeving plaatsvindt of zoiets.' Ik probeer ernstig te kijken en net te doen alsof ik geen complete onzin uitkraam. 'Iedereen weet dat je tijdens een aardbeving het beste op de grond kunt gaan liggen.'

Jesse kijkt me verbaasd aan. Dan breekt er een lach door op zijn gezicht. 'O ja, aardbevingen,' zegt hij lachend. 'Daar kan je niet goed genoeg op voorbereid zijn.'

Ik ben opgelucht dat hij me niet uitlacht en gewoon meegaat in mijn onzinverhaal. 'Veiligheid voor alles,' zeg ik met een knikje. Ik sta er echt versteld van hoe goed ik mijn gezicht in de plooi kan houden. Mijn hoofd is nog steeds knal- en knalrood, maar ik kijk superserieus.

'En waarom sluip jij nu zo verdacht door de gangen? Is dat ook een veiligheidsoefening?' vraagt Jesse nieuwsgierig.

Ineens besef ik dat de capuchon nog steeds strak om mijn hoofd zit en ik grijp naar de touwtjes om hem los te maken. 'Eh,' mompel ik, terwijl ik wild aan de vastgeknoopte touwtjes begin te frutselen. Maar hoe meer ik eraan pruts, hoe strakker de capuchon zich om mijn gezicht spant. Ik kan ineens niets meer zien en alleen mijn mond en mijn neus zijn nog vrij. 'Eh,' zeg ik weer.

'Ja. Dit is ook zo'n oefening. Ik probeer ongezien de school uit te komen.'

'O,' zegt Jesse. 'Nou, dat is dan niet echt gelukt, hè?'

Ik rol met mijn ogen (niet dat hij dat kan zien). 'Nee, echt? Dat meen je niet.'

Ik friemel nu aan de knoop alsof mijn leven ervan afhangt, maar er is echt geen beweging in te krijgen. Daar raak ik helemaal gefrustreerd van. Waarom heb ik niet voor scouting gekozen toen ik van mijn moeder een hobby moest uitkiezen? Dan kon ik nu in elk geval met knopen omgaan. En dan had ik mezelf nu snel en nonchalant bevrijd uit mijn benarde situatie en was Jesse waarschijnlijk zwaar onder de indruk geweest.

Ineens voel ik de vingers van Jesse tegen de mijne aan. Hij raakt me aan. Hij raakt me echt aan! Snel en behendig maakt hij de touwtjes los en bevrijdt mijn hoofd uit mijn capuchon.

Hij kijkt me aan en ik staar terug. Nou, hier is het dan, het moment waar ik al maanden van droom. Het moment dat Jesse en ik helemaal alleen zijn en elkaar in de ogen kijken. Het enige wat nu nog ontbreekt is een superromantische kus, de bezegeling van onze eeuwige en onbreekbare liefde op het eerste gezicht. Maar ja, dat zie ik niet echt gebeuren, aangezien ik er niet bepaald op mijn allerbetoverendst uitzie. Mijn haar piekt alle kanten op, mijn gezicht is helemaal verhit en zit nog steeds onder een laag snot, opgedroogde tranen en mascara. Bovendien heb ik hem daarnet de grootst mogelijke onzin staan vertellen. Ik zou mezelf ook niet zoenen nu.

'Ik ben Jesse, trouwens,' zegt hij, terwijl hij zijn hand uitsteekt.

Ik onderdruk de neiging om 'Dat weet ik!' te gillen en kijk hem zo onverschillig als ik maar kan aan. 'Ik ben Puck,' snif ik en ik schud zijn hand. Wauw, ik raak hem alweer aan. Wauw. Wauw. Wauw. Nu weet ik zeker dat ik droom. Dit kan niet echt zijn. Als ik straks wakker word, ontdek ik vast dat ik in het ziekenhuis lig en dat ik ben ontwaakt uit een vier jaar durende coma.

'Eh, Puck?' hoor ik Jesse zeggen en hij kijkt naar onze handen die elkaar nog steeds vasthouden. Nou ja, hij heeft mij al losgelaten, maar ik heb zijn hand nog steeds vast.

'Eh... ja,' zeg ik verschrikt en ik laat hem los.

Ik kan mezelf wel wurgen, er komt helemaal niets zinnigs meer uit mijn mond. Wat is er met me aan de hand? Verwoed zoek ik naar iets nuttigs om te zeggen.

'Waarom ben jij eigenlijk nog steeds op school?' zeg ik uiteindelijk. Oké, dat is nog best een acceptabele vraag. Het gaat al beter. Goed zo, Puck.

'Van Vlimmeren heeft me gevraagd om het decor voor de musical te maken, dus daar ben ik nu na schooltijd veel mee bezig,' legt Jesse uit. Zodra hij het woord 'musical' uitspreekt, verschijnt de gemene blik van Lonneke weer op mijn netvlies. Ik was de musical en de rampzalige auditie even vergeten.

'Heb je net meegedaan aan de dansauditie?' vraagt Jesse en ik knik. 'Aan je gezicht te zien ging het niet helemaal zoals je wilde.'

'Het is een lang verhaal,' verzucht ik, 'en ik vergeet het liever zo snel mogelijk.'

'Ik begrijp het,' zegt Jesse. 'Mocht je toch nog zin hebben om aan de musical mee te werken, dan ben je altijd welkom in het ckv-lokaal. Ik kan best wat hulp gebruiken.' Hij knipoogt weer en ineens ben ik bang dat mijn knieën het zullen begeven.

'Oké,' zeg ik nonchalant en ik doe mijn best om het niet uit te gillen van vreugde. 'Ik zal erover nadenken.'

Jesse lacht weer zijn geweldige lach. 'Ik kijk ernaar uit, Puck.' Hij geeft me nog een knipoog. 'Hopelijk tot snel!' roept hij en dan loopt hij verder.

'Doei,' mompel ik en ik staar hem nog heel lang na, ook als hij allang uit het zicht is verdwenen.

Ik ben totaal van slag wanneer ik langzaam naar de uitgang loop. Als in trance pak ik mijn jas van de kapstok en doe een poging hem aan te trekken. In de verte hoor ik iemand mijn naam roepen, maar het dringt niet echt tot me door.

'Puck!' In mijn hoofd speelt zich het voorval van daarnet nog eens helemaal af.

'Puck!' Ik durf er niet over na te denken wat voor indruk ik heb achtergelaten bij Jesse. Ik hoop maar dat hij me aandoenlijk vreemd vindt en niet gevaarlijk krankzinnig. Straks belt hij nog het gesticht of zoiets.

'Puck! Wacht nou.'

Verbaasd kijk ik achterom. Ik besef nu pas dat Sterre al een tijdje achter me aan rent en mijn naam aan het schreeuwen is.

Hijgend staat ze voor me. 'Hallo? Waarom loop je zomaar weg?' vraagt ze verontwaardigd. 'Ik schreeuwde echt de longen uit mijn lijf!' Ze haalt een paar keer diep adem om te controleren of haar longen nog wel in haar lijf zitten.

'Sorry,' zeg ik schuldbewust. 'Ik stond even te dromen.'

'Waarom zie je er zo raar uit?' vraagt Sterre en ze staart naar mijn behuilde gezicht en naar mijn jas, die ik net gedachteloos verkeerd om heb aangetrokken.

Ik kijk een beetje dom omlaag. 'O,' is alles wat ik kan uitbrengen, en net als ik mijn mond opendoe om haar te vertellen waarover ik stond te dromen, begint Sterre al te praten. Ze kijkt heel serieus.

'Luister,' zegt ze. 'Je bent mijn beste vriendin in de hele wereld en eigenlijk wil ik door al dit gedoe allang niet meer meedoen met die musical.'

Ik schud mijn hoofd en kijk haar op mijn allerverbouwereerdst aan. 'Niet meer meedoen?!' val ik uit. 'Ben je helemaal gek geworden? Het is je grote droom.'

Sterre zucht. 'Dat weet ik, maar het is zoveel minder

leuk zonder jou. En het betekent ook dat ik Lonneke en Eline behalve op zaterdag ook nog eens twee keer per week extra moet zien. Ik weet niet of ik dat aankan hoor, zoveel Lonneke en Eline zonder jouw emotionele ondersteuning.'

Ze kijkt sip, maar ik heb geen medelijden. 'Nee hoor, dit ga je gewoon doen. Het is je roeping. Bovendien moet een van ons Lonneke bespieden. Anders komen we er nooit achter wat haar zwakke plek is en hoe we haar kunnen uitschakelen.'

'Maar ik...' sputtert Sterre tegen. Ze valt stil als ze mijn strenge blik ziet. 'Oké...' Ze zucht; even is het stil.

'Ik mag trouwens ook meewerken aan de musical,' zeg ik dan en er speelt een vreemd, geheimzinnig lachje om mijn mond.

Sterre kijkt me niet-begrijpend aan. 'Hoe bedoel je?'

Ik kan het niet helpen dat het vreemde lachje verandert in een steeds grotere glimlach, zo'n enge glimlach die je met geen mogelijkheid meer van je gezicht af krijgt. Ik geef haar een arm en trek haar mee naar de fietsenstalling. 'Ik vertel het je op de fiets wel.'

7

'Nog meer?' Sterre kijkt me argwanend aan. 'Echt? Er zit al zoveel in,' zegt ze op ongelovige toon.

'Ja, echt!' roep ik. Ik haal mijn vingers uit het deeg en wijs met mijn pink naar de instructies. 'Kijk, hier staat het: "Voeg nog 200 gram basterdsuiker toe."'

Met een frons controleert ze of het klopt, maar het staat er echt.

'Oké,' geeft ze zuchtend toe en ze strooit nog meer suiker in de brij. 'Zoveel suiker lijkt me gewoon zo slecht voor zo'n ziek mensje.'

Mijn vingers glijden weer in het deeg en beginnen te kneden. 'Ik ga geen appeltaart zonder suiker naar de vrouw van de Reus brengen, hoor,' zeg ik. 'Ze is ziek en dat is al naar genoeg. Dan wil je niet ook nog eens taart die nergens naar smaakt.'

Sterre zucht en staart even voor zich uit. 'Ik vind het zo zielig voor de Reus,' zegt ze dan. Ik knik alleen maar.

Tijdens de biologieles van vanmiddag kwam de rector ons vertellen dat de Reus ons voorlopig geen wiskunde meer zal geven. 'Zijn vrouw is heel ernstig ziek en ze zal niet zo lang meer leven.' De hele klas was muisstil toen hij dat zei.

Ik ben de rest van de dag echt gedeprimeerd geweest,

want ik vind het zo verschrikkelijk voor hen allebei. Sterre en ik hebben de hele dag zitten broeden op een plan om de Reus en zijn vrouw op te vrolijken. Alle leraren werden helemaal gek van ons omdat we de hele tijd ideeën naar elkaar aan het roepen waren tijdens de lessen. Maar sorry hoor, het opvrolijken van de Reusjes vind ik veel belangrijker dan luisteren naar saaie leraren.

Uiteindelijk hebben we besloten een grote appeltaart voor ze te bakken. En niet zomaar een appeltaart, nee, een appeltaart volgens het recept van mijn opa. Mijn opa bakt de lekkerste appeltaarten van het heelal. En dan overdrijf ik niet, dat is echt zo. Hij doet altijd supergeheimzinnig over zijn recept en volgens mij is er nog nooit iemand achter gekomen hoe hij zijn taarten maakt. Ik ben na schooltijd helemaal naar zijn huis toe gefietst om het recept te vragen. Gelukkig kan ik megagoed onderhandelen en uiteindelijk zwichtte mijn opa voor mijn fantastische argumenten. Ik heb hem wel moeten beloven dat ik het recept met mijn leven bewaak en dat ik elke maand ten minste één appeltaart voor hem bak.

'Lonneke heeft ons vanmiddag trouwens de muziek meegegeven van *Wonderland*,' zegt Sterre. Ze legt de appel die ze aan het schillen is op de snijplank en wast haar handen. 'Het is echt heel gaaf.' Haar hele hoofd verdwijnt in haar babyblauwe rugtas. 'Waar heb ik dat ding nou gelaten?' mompelt ze.

Mijn moeder komt de keuken binnen lopen en kijkt met een zuur gezicht naar Sterre, die bijna helemaal in haar tas is gekropen. Wat is ze nu weer aan het doen? gebaart ze zuchtend naar mij.

Ik haal mijn schouders op en stop een stuk van het zoete appeltaartdeeg in mijn mond.

Mijn moeder vindt Sterre maar een raar meisje dat een slechte invloed heeft op mij. Ze past totaal niet in het beeld van haar perfecte robotgezin, want perfecte robotkinderen horen ook perfecte beste vriendinnen te hebben. Beste vriendinnen die met een pink omhoog hun kopje thee vasthouden en die de hele tijd knikken en honderd miljoen keer hun mond afvegen met een servet en het altijd eens zijn met mijn moeder. Maar Sterre doet dat niet. Nee, Sterre slurpt haar thee naar binnen alsof ze helemaal uitgedroogd is, ze gebruikt haar servet om gekke figuurtjes te vouwen en ze is het nooit met mijn moeder eens.

'Hebbes!' gilt Sterre vanuit haar tas en ze worstelt zich weer naar buiten. Triomfantelijk houdt ze de cd omhoog en zwaait ermee in de lucht. Ze trekt zich gelukkig helemaal niks aan van de afkeurende blik van mijn moeder. 'Dag mevrouw De Wildt,' zegt ze beleefd.

'Dag, Sterre,' zegt mijn moeder.

Gelukkig krijgen ze niet de kans om verder met elkaar te praten, want in de gang slaat de voordeur met een harde knal dicht. Vloekend komt mijn vader de keuken binnen lopen. Hij ziet eruit alsof hij net uit een horror-film is gestapt. Zijn gezicht is helemaal opgezwollen en vertoont roodpaarse vlekken. Zijn linkeroog zit helemaal dicht en traant als een gek. Mijn vader gooit zijn jas en zijn tas op de grond en begint als een bezetene aan zijn opgezwollen lippen te krabben.

'Klaas!' gilt mijn moeder. 'Wat is er gebeurd?'

Hij zakt neer op een keukenstoel, steekt zijn gigantische tong uit en gebaart dat hij niks meer kan zeggen. Uit zijn zak haalt hij een half opgegeten mueslireep. Woest wijst hij naar de ingrediënten die op de achterkant van de verpakking staan.

Mijn moeder pakt de reep van hem aan en leest wat erop staat. 'Pinda's,' zegt ze schuldbewust en ze krijgt een kleur. 'Sorry, schat, deze mueslirepen waren zo lekker goedkoop. Ik heb de ingrediëntenlijst niet goed gelezen.'

Woedend springt mijn vader weer van zijn stoel. 'Ib bad bel bood bunnen bijn!' roept hij en hij zwaait met zijn vuisten in de lucht. 'Boordebaar!'

Nu is het de beurt aan mijn moeder om woedend te worden. 'Moordenaar?' krijst ze. 'Alsof ik dat expres doe!' Even denk ik dat ze mijn vader gaat aanvallen, maar dan stampt ze de keuken uit.

Mijn vader rent tierend achter haar aan. Ik kijk ze hoofdschuddend na, mijn ouders zijn echt helemaal gestoord.

Sterre pakt haar mesje weer op en begint met het schillen van de zoveelste appel. 'Weet je wie trouwens de hoofdrol heeft gekregen?' zegt ze.

Ik neem nog een grote hap van het deegmengsel en gooi de rest in de bakvorm. 'Nee, wie?' Met moeite probeer ik het deeg zo eerlijk mogelijk over de vorm te verdelen. Ik heb er toch een beetje te veel van op zitten eten, want er is echt maar net genoeg over.

'Renske Zonnebloem natuurlijk.' Sterre knijpt een citroen uit over haar net geschilde appels.

Renske Zonnebloem is het grote talent van onze school. Ze is mooi, ze kan geweldig zingen en heel erg goed acteren. En verder is ze ook nog eens superaardig. Normaal voel ik altijd een intense walging voor zulke multigetalenteerde mensen, maar dat kan gewoon niet bij Renske, omdat ze altijd zo lief is. Ze kent bijna iedereen op school bij naam en zelfs met de allersaaiste mensen kan ze een gesprek voeren. Ze kan bijvoorbeeld uren met meneer Van Vlimmeren praten zonder in slaap te vallen en dat vind ik best wel indrukwekkend. Volgend jaar gaat ze van school af en alle leraren beginnen spontaan te huilen als je ze daaraan herinnert.

'Daan Dorus speelt trouwens de rol van de grijnzende kat,' zegt Sterre zuchtend. 'Hij is zo leuk, ik denk dat ik verliefd op hem ben.'

'Is je liefde voor de buurjongen alweer gedoofd?' vraag ik.

Sterre schudt haar hoofd en stopt een partje appel in haar mond. 'Je kunt best op meer dan één persoon tegelijk verliefd zijn,' zegt ze stellig.

Ik grinnik. Sterre is altijd op minstens drie jongens tegelijk verliefd en meestal is het ook heel snel weer over.

'Ik heb gewoon heel veel liefde te geven,' zegt ze bloedserieus, terwijl ze een zak met rozijnen openscheurt. Ze gooit de hele zak leeg in een schaal en begint ervan te eten. 'Eline heeft trouwens ook een of andere bijrol gekregen, hè?' brabbelt ze met volle mond.

Ik haal mijn schouders op. 'Lekker belangrijk,' mompel ik en ik stomp een beetje te hard tegen het deeg.

Sterre heeft het recept van mijn opa van het aanrecht gepakt en tuurt ernaar. 'Hé, er moet alcohol doorheen!' roept ze.

'Wat?' Ik gris het recept uit haar handen en lees het door. '"Een flinke scheut rum",' lees ik hardop voor. Dat had ik nog helemaal niet gezien. Is dat het grote geheim van mijn opa? Heeft hij ons gewoon al die jaren dronken zitten voeren met zijn taart? Ik loop naar de drankkast van mijn ouders en open het linkerdeurtje. Mijn ouders zijn echt een stelletje dronkenlappen, want er staan een miljoen drankflessen en ze zijn bijna allemaal leeg. Gelukkig staat er nog een fles met een bodempje rum in de kast.

'Hier,' zeg ik en ik reik Sterre de fles aan.

Ze pakt hem aan en kiepert alles in het appel-rozijnen-citroenmengsel.

Snel zet ik de lege fles terug naast alle andere lege flessen. We maken vlug onze supertaart af en schuiven hem in de oven.

'Wanneer ga je Jesse nou eens opzoeken?' vraagt Sterre als we even later op mijn kamer zitten. Ze doet de cd van *Wonderland* in de stereo-installatie en zoekt naar het goede nummer. Onze appeltaart staat veilig in de oven en nu is het tijd om te dansen.

'Ik durf niet,' verzucht ik dramatisch.

Echt waar, ik durf écht niet. Vorige week stond ik op het punt om het ckv-lokaal binnen te gaan, maar mijn voeten weigerden ineens om nog verder te lopen. Het leek wel alsof ik aan de grond vastgelijmd stond, ik kon me niet meer bewegen. Het lijkt al heel lang geleden dat ik Jesse gesproken heb en de tijd begint nu echt wel te dringen. Ik hoop maar dat hij me niet vergeten is.

'Lekker handig,' vindt Sterre. 'Straks denkt hij nog dat je hem niet interessant vindt.'

Ik laat mezelf op de grond zakken, ga op mijn buik liggen en bonk met mijn voorhoofd tegen de grond. 'Ik weet het,' mompel ik. 'Ik heb een plan nodig.'

'Ja, en dat gaan we binnenkort bedenken. Maar eerst leer ik je de dans die we vanmiddag van Lonneke hebben geleerd.' Sterre pakt mijn hand en sjort me overeind. Ze heeft elke dinsdag- en donderdagmiddag na schooltijd repetities. En elke dinsdagavond en donderdagavond komt ze langs en leert ze mij wat ze die middag van Lonneke heeft geleerd. Het leek ons verstandig dat ik gewoon elke musicaldans supergoed kan uitvoeren. Je weet maar nooit of een van de danseressen struikelt en haar voet breekt of zoiets. Eline bijvoorbeeld. Ik zou het helemaal niet erg vinden als zij haar voet brak. En dan moet er toch een reservedanseres zijn?

Sterre kijkt op haar horloge. '*Zorgeloos* begint over een uur,' kondigt ze aan, 'dus je hebt een uur om de passen te leren.'

Zorgeloos is onze lievelingssoap en die kunnen we echt niet missen. Elke dag wordt het programma om negen uur uitgezonden en het is dus van levensbelang dat we elke dag om stipt negen uur voor de tv zitten. Ik krabbel overeind en ga naast Sterre staan.

'Dit is een dans met stoelen tijdens een belangrijke scène uit *Wonderland*,' legt ze uit. 'Alice en de gekke hoedenmaker houden een theepartijtje en voordat de dans echt begint zitten wij ook allemaal op een stoel om de theetafel, maar we mogen geen woord zeggen.'

Sterre start de muziek opnieuw, pakt een stoel en begint te dansen. Het ziet er echt heel leuk en gek uit, echt heel erg Alice-in-Wonderland-achtig. Sterre zwiert en zwaait om de stoel heen. Ze doet het natuurlijk geweldig en de muziek is steengoed.

Als ze klaar is geef ik haar een uitgebreid applaus. Ze

maakt een diepe, diepe buiging en zwaait naar mij en het denkbeeldige publiek. 'Dank u wel,' fluistert ze ontroerd en ze doet alsof ze een traantje uit haar ooghoek wegpinkt. 'Dank u wel.' Ik schuif er een tweede stoel bij en dan kan de les beginnen.

'Oké,' legt Sterre uit. 'De eerste beweging is ook meteen de lastigste beweging, want je moet heel goed je evenwicht houden.' Ze gaat op de stoel staan en zet haar linkervoet boven op de rugleuning. Dan duwt ze zichzelf naar voren, de stoel valt om en ze loopt nonchalant vier stappen naar voren. Het ziet er gaaf en tegelijkertijd heel professioneel en gevaarlijk uit.

Ik pak mijn stoel en doe hetzelfde als Sterre. Met mijn linkervoet duw ik tegen de rugleuning en de stoel valt om. Ik moet mijn best doen om mijn evenwicht te bewaren, maar het gaat goed en ik loop zo nonchalant als ik kan vier passen naar voren.

Sterre klapt in haar handen. 'Fantastisch, wat een natuurtalent!' roept ze uitgelaten en nu is het mijn beurt om een diepe buiging te maken.

De rest van de dans is best eenvoudig en ik heb alle bewegingen zo onder de knie. *No problemo.* We zwieren en zwaaien nu allebei om onze stoel heen en even voel ik een steek van jaloezie dat Sterre deze dans mag opvoeren voor een grote zaal met meer dan duizend mensen.

'We moeten trouwens een bolhoed op tijdens deze

dans,' zegt Sterre, 'en daar moeten we ook nog van alles mee doen, maar dat leren we volgende week.'

Ik zie het echt al helemaal voor me. 'In onze verkleeddoos zitten hoeden!' roep ik. 'Laten we ze passen.' De verkleeddoos was vroeger ons heiligste bezit. Er zitten een paar topkledingstukken in, zoals de lange knalpaarse zwierjurk van mijn oudtante Nel en de enorme nepfruithoed van de oma van Sterre.

'O ja!' roept Sterre enthousiast en ze trekt de verkleeddoos achter de grote kast in de zolderkamer vandaan. Meteen heeft ze de fruithoed van haar oma te pakken en ze zet hem op haar hoofd. 'Deze was ik alweer helemaal vergeten!' roept ze opgewonden.

Ik doe ook een graai in de doos en haal er een handvol sjaals uit. Ik bind een rode sjaal om mijn hoofd, een groene en een blauwe om mijn linkerarm en een roze gebloemde om mijn rechterarm. Om het allemaal nog wat interessanter te maken trek ik ook de paarse zwierjurk van mijn oudtante Nel aan, doe ik nog tien kralenkettingen om mijn nek en zet ik een grote zomerhoed op mijn hoofd. Ik zet de muziek weer aan en we springen snel op onze stoel.

In onze superoutfits is de dans nog tien keer geweldiger. De muziek dreunt uit de stereo en heel even sta ik stil. Ik sluit mijn ogen en doe net alsof we voor een gigantisch publiek staan te dansen. Natuurlijk krijgen we een staande ovatie.

We starten de muziek keer op keer opnieuw en houden pas op met dansen als er een verrukkelijke geur naar de zolderkamer opstijgt.

Mijn moeder komt onder aan de trap staan en gilt: 'Puck, volgens mij is jullie taart klaar!'

Bovenste beste schrijvers van *Zorgeloos,*

Ik maak me zorgen om Nathan. Ja, ik val maar gewoon – kaboem! – met de deur in huis, want dit is een prangende kwestie. Superprangend zelfs. Jullie hebben het misschien niet door, maar die jongen is doodongelukkig. En niet omdat hij in de laatste aflevering van *Zorgeloos* net heeft ontdekt dat hij misschien een erfelijke en zeer dodelijke ziekte heeft. En ook niet omdat zijn vriendin net heeft gezoend met de neef van de vriendin van de zoon van de buurman van zijn oom. (Alhoewel hij van die dingen natuurlijk ook niet superblij wordt)

   Nee, de reden waarom ik denk dat Nathan diep-ongelukkig is, is omdat hij geen eigen kamer lijkt te hebben. Hij zit altijd maar in de woonkamer van zijn ouders, of in het café van zijn oom, of in de kantine op school... en dat vind ik zielig. En ik heb besloten om op te komen voor de rechten van Nathan! Ik kan bijna niet meer naar *Zorgeloos* kijken (en dat is een groot probleem, want *Zorgeloos* is mijn lievelingssoap en ik denk niet dat ik kan overleven zonder mijn dagelijkse portie drama). Nathans leven is al zwaar genoeg en ik denk dat het tijd wordt dat iemand jullie eens spliksplinterpiepfijn gaat uitleggen dat hij een eigen kamer nodig heeft om al deze moeilijke zaken te verwerken. Dit kan zo niet langer!

Als je een puber bent (zoals ik bijvoorbeeld, en zoals Nathan dus), dan is het hebben van een eigen kamer cruciaal. Cruciaal! Ik kan me eerlijk gezegd geen leven voorstellen zonder eigen kamer. Ik denk dat ik dan zou veranderen in een hoopje ellende. Letterlijk. Dan zou ik daar in de woonkamer liggen en als mensen dan zouden vragen: 'Wat ligt daar voor iets geks?' zouden mijn ouders moeten zeggen: 'O, dat is Puck, onze dochter. Zij is nu een hoopje ellende, want we hebben haar nooit een eigen kamer gegeven.'

Ik vraag me nu opeens af hoe dat eruit zou zien, een hoopje ellende. Ik denk dat het een soort geelgroene kleur heeft en stinkt naar bedorven banaan, schimmel-kaas en vogelpoep. Maar goed, ik zou dus veranderen in een geelgroen hoopje stinkende ellende. En mijn ouders zouden spijt hebben als haren op hun hoofd. (Dat vind ik trouwens een heel rare uitdrukking, om spijt te hebben als haren op je hoofd. Alsof de haren op je hoofd ergens spijt van kunnen hebben. Dat slaat toch weer he-le-maal nergens op?)

Natuurlijk vragen jullie je nu meteen af waarom ik mijn kamer in hemelsnaam zo hard nodig heb. Jullie weten dit misschien niet, maar er zijn gewoon een heleboel Zeer Belangrijke Activiteiten die ik alleen op mijn kamer kan doen. Zoals het lakken van mijn nagels. Ik krijg altijd verschrikkelijk op mijn kop van mijn vader als ik beneden mijn nagels lak. Zijn neus begint te kriebelen van de geur en dan wordt hij boos (zijn neus begint eigenlijk overal van te kriebelen, doordat hij overal allergisch voor is).

Verder kan ik ook bepaalde telefoongesprekken echt alleen maar in mijn eigen kamer voeren. Mijn beste vriendin Sterre heeft bijvoorbeeld nogal vaak problemen met haar buurjongen (op wie ze verliefd is), met haar bijlesleraar (op wie ze verliefd is), met de vakkenvuller van de supermarkt bij ons in het dorp (op wie ze verliefd is) en sinds kort ook met Daan Dorus (op wie ze verliefd is). Jullie snappen natuurlijk meteen dat die gesprekken belangrijk zijn en ook heel erg lang duren en dat die gevoelige informatie niet voor de oren van mijn ouders is bestemd.

Bovendien hebben mijn ouders en mijn zusje en broer ook heel rare gewoontes waarvoor ik heel vaak mijn kamer in moet vluchten. Mijn moeder vraagt bijvoorbeeld telkens als ze me ziet of ik mijn huiswerk al heb gemaakt en dat is echt superirritant (vooral omdat ik mijn huiswerk nooit af heb). Mijn vader neuriet vaak heel hard en supervals, mijn broer vindt het leuk om opeens harde scheten te laten (zo dicht mogelijk bij je gezicht in de buurt) en mijn zusje wil de hele tijd haar gedichten aan me voordragen. (De meeste gedichten beginnen met: 'O, was ik maar een kikkerbil...')

En zo zijn er nog tienduizend miljoen andere dingen waarvoor ik mijn kamer verschrikkelijk hard nodig heb. Ik verwacht dan ook dat jullie er onmiddellijk voor zorgen dat Nathan een eigen slaapkamer krijgt. Anders zit er niks anders op dan dat ik stop met kijken naar *Zorgeloos* en dan verliezen jullie helaas je grootste fan.

Ik ga ervan uit dat jullie dat niet willen en dat jullie meteen hard aan de slag gaan om een geweldige kamer voor Nathan te regelen. Verder stel ik voor dat er een megagrote poster van mij boven het bed van Nathan komt te hangen, die regelmatig in beeld komt. Ik zal daarvoor een foto van mezelf meesturen met deze brief.

Graag gedaan.

Groetjes,
Puck de Wildt

8

'Puck, kun jij nog even blijven zitten, alsjeblieft?' Meneer Van Vlimmeren legt de collages die we net hebben ingeleverd op een stapel op zijn bureau. Meteen schieten er allerlei horrorgedachten door mijn hoofd. Heb ik de opdracht soms zo slecht gemaakt dat hij hem niet eens wil nakijken? Hij geeft me vast een nul.

Ik kijk naar mijn klasgenoten die een voor een de klas uit lopen en dan naar meneer Van Vlimmeren, die met zijn handen op zijn rug rustig afwacht tot het lokaal leeg is. Ik heb net ongeveer de hele les liggen slapen, zou hij denken dat ik problemen heb of zoiets? Of zou hij misschien hebben ontdekt dat ik degene ben die vorige week zijn dvd over het menselijk lichaam heeft vervangen door een dvd van *Kinderen voor kinderen*? Ik wilde alleen de biologieles een beetje opleuken, want een stem die vertelt over het menselijk lichaam is echt zo slaapverwekkend.

Ik kijk een beetje angstig naar meneer Van Vlimmeren. Zou hij boos zijn? Ik ontken gewoon alles, hij heeft vast geen bewijs.

'Ik wacht wel op de gang,' mompelt Sterre. Ze pakt haar tas en sjokt het lokaal uit.

Al snel is de ruimte helemaal leeg, op mij en meneer

Van Vlimmeren na. Vandaag heeft hij stukjes eiersalade in zijn baard hangen en er zitten groene stukjes bieslook tussen zijn tanden. Ik moet heel erg mijn best doen om geen vies gezicht te trekken en ik neem me voor om morgen stiekem een tandenborstel op zijn bureau te leggen. Misschien doet hij er wat mee.

Meneer Van Vlimmeren loopt naar me toe en gaat op het tafeltje voor me zitten. Hij slaat zijn linkerbeen over zijn rechterbeen en vouwt zijn handen om zijn linkerknie. 'Puck,' begint hij en hij zucht eens diep. Hij stinkt zo erg uit zijn mond dat ik bijna van mijn stokje ga. Misschien is één tandenborstel toch niet genoeg.

'Puck, ik wil je wat vragen.'

Er valt een stilte en ik kijk hem afwachtend aan. Ik moet altijd een beetje zoeken naar zijn felblauwe ogen, want meneer Van Vlimmeren heeft zoveel haar op en om zijn gezicht dat zijn ogen, neus en mond bijna onzichtbaar zijn.

'Katherina is gestopt met de dansrepetities voor de musical. Het werd haar te veel,' gaat hij verder, en opeens beginnen mijn oren te suizen en mijn hart begint als een gek te bonken. 'Ik wil vragen of je Katherina wilt vervangen, want ik vond je erg goed dansen tijdens de auditie. Ik ben van mening dat we toen ook niet helemaal de juiste keuze hebben gemaakt.'

Langzaam valt mijn mond open. Ik kan het niet gelo-

ven. Ik mag meedoen! Ik mag echt meedoen! Van blijd-
schap lukt het me niet om ook maar één woord uit te
brengen, dus ik begin heel heftig te knikken.

Gelukkig begrijpt meneer Van Vlimmeren mijn woeste hoofdbeweging wel en hij glimlacht tevreden. 'Mooi
zo. Je hebt al een behoorlijk aantal repetities gemist, dus
zorg ervoor dat je hard werkt en aanwezig bent tijdens
alle lessen. Dan ben je zo weer bij.'

Ik blijf maar knikken, ik kan niet meer ophouden.
Ik mag echt meedoen! Ik mag echt meedoen aan de
musical!

'Ik zal het aan Lonneke doorgeven en ik verwacht je
aanstaande donderdag ruim op tijd voor de repetitie,'
zegt meneer Van Vlimmeren.

Eigenlijk wil ik hem om de hals vliegen en een dikke
knuffel geven, maar zijn heftige ademgeur en de etens-
dingetjes tussen zijn tanden en in zijn baard houden me
tegen. In plaats van een knuffel geef ik hem heel officieel
een hand. 'Heel... eh erg bedankt,' stamel ik. 'Heel, heel,
heel, heel, heel erg bedankt.'

Meneer Van Vlimmeren glimlacht naar me. 'Je hebt
het verdiend. En ga nu maar genieten van je tussenuur.'
Hij wijst streng in de richting van de uitgang. 'Hup,
wegwezen.'

Ik graai mijn spullen bij elkaar en ren naar de deur.
'Hééééél erg bedankt!' roep ik nog een keer voordat ik
de deur achter me sluit.

In de gang kan ik me niet langer inhouden en ik maak een vreugdedansje van geluk. 'Yesss!' roep ik heel hard en ik spring op en neer.

Tien minuten later staan Sterre en ik voor de voordeur van de Reus. We hebben zijn adres gekregen van de vader van Rogier, op voorwaarde dat we de Reusjes niet gaan lastigvallen. Nou, dat zijn we ook helemaal niet van plan, we gaan alleen een taart brengen. En mensen worden vrolijk van taart, dat is algemeen bekend.

Ik druk op de bel en binnen hoor ik een langgerekt *bimmm bammm* door de hal klinken. Ik leg mijn oor tegen de deur, sluit mijn ogen en luister. Binnen is helemaal niks te horen, geen voetstappen, geen stemmen, niks.

Ik kijk Sterre aan en haal mijn schouders op. 'Misschien zijn ze een wandeling aan het maken?' zeg ik hoopvol, maar Sterre schudt haar hoofd.

'Mevrouw Reuzer is hartstikke ziek; ik denk niet dat zij een gezellig ommetje kan maken,' zegt ze.

Ik weet dat ze gelijk heeft, maar ik wil niet denken aan het alternatief. Als meneer en mevrouw Reuzer niet thuis zijn, kan dat eigenlijk alleen maar betekenen dat mevrouw Reuzer zo ziek is geworden dat ze in het ziekenhuis is opgenomen. Ik krijg een beetje buikpijn bij het idee.

Sterre strekt haar arm en drukt nog eens op de bel. *Bimmm bammm* klinkt het weer aan de andere kant van de deur, maar daar blijft het bij; er zijn geen andere geluiden.

Net als ik voorzichtig de voortuin in wil stappen om naar het grote raam verderop te lopen en daar naar binnen te turen, is binnen het geschuifel van pantoffels te horen. Iemand friemelt aan de deurknop en niet veel later gaat de deur voorzichtig open.

Ik herken de Reus bijna niet meer; hij ziet eruit alsof hij in de laatste weken honderd jaar ouder is geworden. Er zitten grote kringen onder zijn ogen en in zijn gezicht zijn diepe groeven en rimpels te zien. Zijn dikke buik is helemaal verdwenen en zijn overhemd slobbert om hem heen. Het grijze haar op zijn hoofd is sneeuwwit en hij heeft zich overduidelijk al in geen dagen meer geschoren.

De Reus kijkt ons verbaasd aan. 'Puck? Sterre?' vraagt hij, alsof hij niet kan geloven dat we echt voor zijn deur staan.

Ineens voel ik me een beetje verlegen en weet ik niet zo goed wat ik moet zeggen. Ik strek mijn armen uit en overhandig de Reus ernstig de appeltaart. 'Voor u,' zeg ik.

'En voor mevrouw Reuzer natuurlijk,' vult Sterre aan.

De Reus pakt de appeltaart aan. Er verschijnt een lach op zijn gezicht, maar zijn ogen staan triest en vermoeid. 'Dat is heel aardig van jullie, meiden. Willen jullie even binnenkomen?'

Even sta ik te treuzelen. Stel je voor dat mevrouw Reuzer zo ziek is dat ze eruitziet als een lijk? Dat zou ik nogal schokkend vinden. Ik wil niet van schrik gaan gillen of zoiets. De Reus doet al een stap opzij om ons binnen te laten en Sterre geeft me een duw in mijn rug. Ik kan niet weigeren, dus slik ik een paar keer en zet dan mijn eerste stap in het vreemde huis.

Het voelt heel onnatuurlijk om in het huis van een leraar te zijn. Een wiskundeleraar nog wel. Met open mond kijk ik om me heen en probeer de omgeving in me op te nemen. Het lijkt wel alsof we een griezelhuis op de kermis zijn binnengestapt.

De gang is donker, met op de vloer een dik, zacht, donkerrood tapijt. Rechts tegen de muur staat een grote donkerbruine kast en daarbovenop pronken vijf opgezette fazanten. Ze zijn morsdood, maar toch lijkt het alsof ze me aankijken met hun enge zwarte kraaloogjes. Het ziet er heel erg luguber uit.

De Reus lacht als hij ziet dat ik vol afschuw naar de opgezette dieren kijk. 'Jagen is een grote hobby van me,' geeft hij toe.

Verderop in de gang hangt een groot jachtgeweer aan de muur, het is bijna even groot als de Reus zelf. Ik probeer me voor te stellen hoe de piepkleine meneer Reuzer in zijn jagersoutfit door het bos marcheert, met het enorme geweer over zijn schouder en ik moet mijn best doen om niet te grinniken.

'Deze kant op,' zegt de Reus en hij gaat ons voor. Hij opent een deur en we stappen de keuken binnen.

Deze ruimte is ook klein en donker. Heel even ben ik bang dat er een enorme hertenkop aan de muur hangt, of dat er een grote, opgezette grizzlybeer in een hoekje staat. Maar gelukkig is er nergens meer een dood beest te bekennen. Ik haal opgelucht adem.

'Willen jullie thee?' vraagt de Reus.

We knikken allebei en staan een beetje ongemakkelijk om ons heen te koekeloeren in de minuscule keuken. Het aanrecht staat bijna tot aan het plafond volgestapeld met lege verpakkingen van afhaalmaaltijden en de afwas is al een eeuwigheid niet gedaan. De luiken voor de ramen zitten stevig dicht. Ik kan het me moeilijk voorstellen dat dit ooit een heel gezellig vertrek is geweest. Er staan vazen met verdorde bloemen en er ligt een vrolijk, knalroze, gebloemd tafelkleed over het kleine keukentafeltje in de hoek. Op elke stoel bij het tafeltje ligt een kanariegeel, geborduurd kussentje.

Ik kijk naar het kromme silhouet van de Reus en ineens voel ik me heel triest. Al zijn aandacht gaat naar zijn vrouw en hij zorgt helemaal niet goed voor zichzelf.

'Wie waren er aan de deur, Jakob?' Er klinkt een zacht, bibberig stemmetje uit een kamer naast de keuken.

'Twee leerlingen, lieverd,' antwoordt de Reus, terwijl

hij de thee voor ons inschenkt, 'Ze komen op ziekenbezoek.' Hij gebaart dat we hem moeten volgen.

Met een mok vol met dampende thee lopen we het
kamertje naast de keuken in. In tegenstelling tot de
gang en de keuken is deze kamer groot en licht. In
het midden staat een ziekenhuisbed en daarin ligt
een uitgemergeld vrouwtje. Met haar schriele armpjes
duwt ze zichzelf omhoog, maar ze kan haar gewicht
bijna niet dragen. De Reus snelt naar haar toe en legt
met grote zorg een paar kussens onder haar hoofd en
nek.

Is dit flinterdunne wezentje mevrouw Reuzer? Dat
kan gewoon niet. Toen ze ons vorig jaar nog Engelse les
gaf, was ze stevig en had rode blosjes op haar wangen.
Dit wezentje heeft niet eens wangen! Haar gezicht is helemaal ingevallen en haar ogen staan waterig.

'Dag Puck. Dag Sterre,' glimlacht mevrouw Reuzer.

'Dag, mevrouw Reuzer,' mompelen we tegelijkertijd.

De Reus gebaart dat we kunnen gaan zitten op de
stoelen naast het bed. Een beetje verlegen schuifelen we
ernaartoe en nemen plaats.

'Zo is het wel goed, lieverd,' zegt mevrouw Reuzer
tegen haar man, die nog steeds de kussens onder haar
hoofd aan het opschudden is.

'Zeker weten?' vraagt hij bezorgd.

Mevrouw Reuzer legt een hand op zijn arm en duwt
hem liefdevol weg. 'Zeker weten.'

'Is het licht niet te fel?' vraagt de Reus. 'Zal ik de gordijnen een stukje sluiten?'

Hij loopt al naar het raam, maar mevrouw Reuzer roept plotseling fel: 'Waag het eens! Ben je nou helemaal gek geworden? Blijf van die gordijnen af!' Ze komt nog iets verder overeind en gooit een kussen naar zijn hoofd. Tenminste, dat probeert ze, maar het kussen landt vlak voor het bed op de grond.

'Maar lie-lieverd...' stottert de Reus.

'Niks lieverd,' moppert zijn vrouw. 'Ga je liever eens scheren.'

De Reus raapt het kussen op en legt het weer zorgvuldig op het bed. Daarna sloft hij de kamer uit.

'Hij is zo bezorgd om mij,' verzucht mevrouw Reuzer hoofdschuddend. 'En naar zichzelf kijkt hij niet meer om.'

Even wil ik haar vertellen over de rommel in de donkere keuken, maar ik besluit mijn mond te houden. Sterre en ik nemen allebei tegelijk een slok van onze thee.

'Hoe is het met jullie?' informeert mevrouw Reuzer. 'Gaat het goed op school? Komen jullie nog steeds veel te laat de les in?' Er verschijnt een ondeugende twinkeling in haar ogen. 'Dat herinner ik me nog wel, dames. Jullie kwamen altijd te laat.'

Sterre en ik grinniken zenuwachtig.

Mevrouw Reuzer geeft ons een knipoog. 'Kom op, vertel me eens wat leuks. Een sappige roddel of een pittig nieuwtje. Ik lig hier de hele dag als een plantje naar het plafond te staren, en denk maar niet dat mijn man zoveel interessante verhalen heeft.'

Langzaam maar zeker voel ik me wat meer op mijn gemak en ik schuif mijn stoel wat dichter naar het bed toe. 'We doen mee aan de musical,' vertel ik.

De ogen van mevrouw Reuzer lichten op. 'Jakob vertelde me daar al over,' zegt ze. 'Het gaat over Alice in Wonderland, toch?'

We knikken allebei.

'Gaat het goed? Hebben jullie een leuke rol?'

Sterre zet haar mok op het tafeltje naast het bed. 'We zitten bij het jazzballet,' zegt ze. 'En bij de meeste liedjes hoort een dans, dus we zullen erg vaak op het podium staan.'

Mevrouw Reuzer knikt goedkeurend. 'Leuk, hoor. En wie geeft de danslessen?'

Met een knal zet ik mijn mok ook op het tafeltje neer. De thee zwiept nog net niet over de rand. 'Lonneke Leegwater,' zeg ik. Het duurt even voordat ik me bewust ben van mijn snauwende stem en woeste blik.

Mevrouw Reuzer kijkt verbaasd. 'O?' vraagt ze. 'Echt waar? Geeft ze les? Dat verrast me. Ik heb haar nog in mijn klas gehad. Het was altijd zo'n stil en verlegen meisje.'

Sterre en ik kijken mevrouw Reuzer met een ongelovige blik aan. Een stil en verlegen meisje? Dat kan niet.

'Meiden? Gaat het wel goed?'

Ik knipper met mijn ogen, maar ik kan niet ophouden met staren naar mevrouw Reuzer. 'Een stil en verlegen meisje?' vraag ik haar.

Mevrouw Reuzer knikt. 'Ja, ze zat altijd rechtsachter in de klas. Ze zei nooit wat, behalve als ik haar wat vroeg.' Ze kijkt peinzend voor zich uit, alsof ze haar oud-leerling Lonneke weer helemaal voor zich ziet.

'En u weet zeker dat het om Lonneke Leegwater gaat?' vraagt Sterre.

Mevrouw Reuzer knikt weer. 'Heel zeker.'

Mijn hele wereld staat op zijn kop. Als Lonneke ooit een stil en verlegen meisje is geweest, dan is alles moge-lijk. Dan bestaan geesten ook. En kabouters. En magi-sche lampen die je wensen vervullen.

Mevrouw Reuzer zakt terug in haar kussens en doet haar ogen dicht. 'Sorry, meiden. Ik moet even mijn ogen sluiten. Ik ben zo moe.' Ze valt meteen in slaap.

Sterre en ik staan zachtjes op en sluipen de kamer uit. In de keuken knallen we bijna tegen de Reus aan.

'Sst. Ze slaapt,' sist Sterre.

De Reus begeleidt ons naar de voordeur en bedankt ons voor de appeltaart. 'Tot ziens, meiden. En bedankt. We stellen jullie bezoek erg op prijs.'

We lopen naar onze fietsen. De Reus zwaait ons uit en als ik terugzwaai valt het me weer op hoe oud en moe hij eruitziet.

Een beetje down en depressief fietsen Sterre en ik naar school voor onze volgende les. Ik maak me zorgen om de Reus. Wat zal er van hem worden als zijn vrouw er niet meer is?

Geachte mensen van Dream Cosmetics,

Ik gebruik al mááááááánden jullie Superglans Shampoo. Echt, ik ben er heel erg blij mee dat ik jullie product ooit heb ontdekt. Dat gebeurde bij toeval, trouwens.

Vorig jaar was ik samen met mijn moeder in de drogisterij op zoek naar spul tegen wratten. Mijn vader had namelijk een enorme wrat op zijn voet. En als ik zeg 'enorm', dan bedoel ik zo groot als een stuiterbal. (Misschien is dat een piepklein beetje overdreven, maar het was echt wel een heel grote wrat en hij was echt heel erg vies en lelijk en soms leek het alsof hij leefde.)

Maar goed, we hadden dat spul voor die dikke wrat dus gevonden en toen we bij de kassa stonden, kreeg het meisje dat naast ons stond te telefoneren ruzie met de persoon aan de andere kant van de lijn. Ze was aan het gillen en schelden en maakte een hoop wilde gebaren. Uiteindelijk griste ze het plastic zakje met haar boodschappen mee en stampte al tierend de winkel uit. Echt hoor, ik zie haar nog zo wegstampen. Ze had net zo goed een kudde wilde olifanten kunnen zijn en dan had je het verschil niet gemerkt.

Toen mijn moeder en ik thuiskwamen, ontdekten we dat er helemaal geen wrattenspul in ons plastic zakje zat, maar jullie Superglans Shampoo en een zwangerschapstest. Dat tierende meisje naast ons had per ongeluk onze boodschappen meegenomen en wij de hare. Nou, toen keken we wel even verbaasd op.

Ik mocht de shampoo hebben en mijn studiebollige zusje Naomi kreeg de zwangerschapstest. Zo'n test lijkt namelijk erg op een thermometer en ze zat toen in de ik-wil-dokter-worden-fase.

Maar goed, ik vind jullie shampoo dus echt geweldig – en juist vanwege deze zeer positieve en fantastische shampoo-ervaring leek het me een goed idee om ook jullie Krulplus Spray te gaan gebruiken. Dat kan niet misgaan, dacht ik. Bovendien stond er heel groot op de verpakking: PLAKT NIET! Nou, en dat was net wat ik nodig had, want ik heb het niet zo op plakkerigheid. Dus ik was helemaal in mijn nopjes en ben dan ook vliegensvlug van de drogist naar huis gerend, omdat ik niet kon wachten om de krulspray te gaan gebruiken.

Nu is mijn vraag of een van jullie die spray weleens heeft geprobeerd. Ik kan me dat namelijk niet voor-stellen, anders hadden jullie er waarschijnlijk niet zo groot PLAKT NIET! op durven zetten.

Ik wil jullie bij dezen graag vragen om de informatie op de verpakking te veranderen in: PLAKT BETER DAN SUPERLIJM. Krulplus Spray is beslist de plakkerigste haarspray die ik ooit ben tegengekomen. Als er een prijs zou zijn voor Meest Plakkerige Haarspray in de Geschiedenis van de

Wereld, dan zou die naar Dream Cosmetics Krulplus Spray moeten gaan.

Gisteravond ben ik uren bezig geweest om mijn haar weer plakvrij te maken. En daarna moest ik er nog uren voor uittrekken om de plak van mijn handen te krijgen. En daarna nog uren om de plak van de wastafel te boenen. Het was al bijna ochtend toen ik eindelijk naar bed kon; ik voelde me net Assepoester.

En nu ben ik al de hele dag heel erg moe. Ik moest er heel vroeg uit, omdat ik het eerste uur biologie had. Ik heb nog geprobeerd om mijn moeder uit te leggen dat ik echt de eerste drie uur vrij moest nemen. Het is namelijk zeer ongezond om zo weinig te slapen, dat weet iedereen. Maar mijn moeder wilde er niks van weten en dwong me naar school te gaan. Ik heb de hele dag als een soort zombie op school rondgelopen en al mijn docenten maken zich nu verschrikkelijk zorgen om mij.

Het voordeel van jullie superplakkerige spray is dat ik die nu kan gebruiken als lijm. Dat komt eigenlijk wel goed uit, want mijn Prittstift is helemaal uitgedroogd. Daarmee hebben jullie wel een grote ramp voorkomen, want ik moest een collage over celdeling bij planten inleveren en daarvoor moest ik nog heel veel plaatjes plakken van planten en cellen en groene korreltjes en zo. Mijn Krulplus Spray gaat vanaf nu gewoon mee in mijn etui en ik zal jullie product bij al mijn vrienden, vriendinnen, klasgenoten, leraren, kennissen en allerlei andere vreemde vogels aanbevelen. Als lijm dan, hè.

Omdat ik dankzij jullie nu waarschijnlijk een dikke, vette voldoende ga halen voor biologie zal ik het hierbij laten.

Groetjes,
Puck de Wildt

9

Een beetje zenuwachtig drentel ik door de gymzaal. Af en toe werp ik een nerveuze blik op de grote, openstaande deuren. Vanavond is mijn eerste repetitie: ik moet Lonneke voor het eerst sinds de audities weer onder ogen komen. Ze kan elk moment door die deuren naar binnen stappen, en niemand weet hoe ze gaat reageren als ze me ziet. Ik heb het vermoeden dat ze me niet blij en ontroerd in haar armen zal sluiten. En als ze het wel doet, dan is ze vast iets zeer gemeens met me van plan.

Sterre zit op de houten, lange bank vooraan in de zaal en wenkt me. 'Loop niet zo zenuwachtig te doen!' roept ze. 'Daar word ik ook zenuwachtig van.' Ze begint strekoefeningen te doen op de bank. Dat doet ze meestal zittend, omdat ze te lui is om op te staan. 'Zou Lonneke al weten dat je meedoet?' vraagt ze, terwijl ze zich zijwaarts probeert te rekken.

Ik haal mijn schouders op. 'Ik denk het wel,' zeg ik. 'Ik kan me niet voorstellen dat meneer Van Vlimmeren een kans laat schieten om haar op te bellen, want hij is zóóó verliefd op haar.'

Sterre knikt en probeert tevergeefs met haar handen haar tenen te raken. Ik snap echt niet dat ze zo goed is in dansen, want eigenlijk is ze zo stijf als een hark.

Merel komt naast ons zitten. 'Hoi, Puck,' zegt ze, 'leuk dat je meedoet. Ik vond het al zo gek dat je niet werd uitgekozen tijdens de audities, want je danste echt heel erg goed.'

Ik kijk haar blij verrast aan. 'Dank je wel. Lief van je.'

Ineens geeft Sterre me een por. 'Kenau in aantocht,' fluistert ze.

Lonneke stampt samen met Eline de gymzaal in en ze ziet me onmiddellijk. 'Puck,' zegt ze en ze bekijkt me van top tot teen. Ze trekt een vies gezicht, alsof ik een insect ben dat ze zo snel mogelijk met een wc-papiertje moet doodknijpen. Het is onvoorstelbaar dat dit het stille en verlegen meisje is over wie mevrouw Reuzer het gister had.

Ik ga staan, sla mijn armen over elkaar en doe mijn uiterste best om heel veel zelfvertrouwen uit te stralen. 'Lonneke.' Ik besluit dat het haar vanaf nu niet meer gaat lukken om me aan het huilen te maken. Ik kan Lonneke best aan.

Even staan we elkaar in doodse stilte aan te kijken. Dan wendt ze haar hoofd af en klapt in haar handen. 'Iedereen op zijn plek. We gaan ons eerst opwarmen.' Ze zet de muziek aan en begint te springen en te hupsen als een hyperactieve eekhoorn. 'Even de spieren strekken!' roept ze enthousiast en ze zwiept haar armen alle kanten op. Dan wijst ze met haar armen naar boven en strekt zich zo ver mogelijk uit en iedereen volgt haar voorbeeld.

'Goed zo, ga door!' roept Lonneke. Ze begint door de zaal te lopen om te controleren of iedereen wel een goede houding heeft. 'Ga op je linkerbeen staan en buig je rechterbeen. Pak je rechtervoet vast, gooi je bekken naar voren. Hou goed je evenwicht. Dit rekt de spieren van je bovenbeen.' Iedereen staat nu te wankelen op een been. 'Goed zo. Hou je evenwicht. Concentreer je en val niet om,' instrueert Lonneke ons. Ze staat bij Sterre en corrigeert haar houding. 'Heel netjes, Sterre.' Dan keert ze zich om naar mij. 'O, Puck,' zegt ze hoofdschuddend. Ze legt haar hand op mijn onderrug en doet alsof ze me met mijn houding probeert te helpen. En dan, heel ongemerkt, geeft ze me een duw. Echt waar, ze geeft me een ordinaire duw en ik verlies mijn evenwicht.

Ik kijk haar verontwaardigd aan. 'Wat doe je nu?' roep ik kwaad.

Lonneke haalt haar schouders op en loopt weer verder. 'Ik kan er ook niks aan doen dat jij je evenwicht niet kunt houden,' zegt ze.

Ik had niet gedacht dat het mogelijk was, maar ze is nog geniepiger dan ik dacht.

Ze klapt weer in haar handen en roept: 'Tijd voor het echte werk! We gaan dansen!'

Iedereen begint opgewonden te praten en Lonneke heeft moeite om erbovenuit te komen. 'We beginnen met de stoelendans van de theescène!' roept ze.

Alle dansers pakken een stoel en gaan in het midden van de zaal staan.

'Puck, ga jij maar aan de kant zitten deze les, want jij kan toch nog niks.' Lonneke wijst naar de bank en gebaart dat ik moet gaan zitten.

Ik peins er niet over. *No way* dat ik de hele repetitie lang op een bankje een beetje om me heen ga zitten kijken.

'Dat is niet nodig, hoor,' zeg ik. 'Ik ken de meeste dansen al.'

Het is duidelijk dat mijn antwoord absoluut niet binnen Lonnekes plan past en ze kijkt me geïrriteerd aan.

'O?' vraagt ze quasinonchalant, maar haar ogen schieten vuur.

Op mijn dooie gemak pak ik een stoel en installeer mezelf naast Sterre en Björn. 'Ik heb geoefend,' licht ik toe. Ik kan er niks aan doen, maar ik geniet echt een beetje van Lonnekes verontwaardigde gezicht. Ik kan aan haar zien dat ze het liefst een paar heel gemene woorden naar mijn hoofd wil slingeren, maar ze houdt zich in.

Met tegenzin start ze de muziek en telt ze hardop af. 'Vijf, zes, zeven, acht!' roept ze.

Ik stap vol zelfvertrouwen op mijn stoel. Wauw, het voelt heel goed om weer te mogen dansen in een groep. Sterker nog, het is heerlijk! Ik zet mijn linkervoet tegen de rugleuning van de stoel en zet me af, net zoals ik een paar dagen geleden met Sterre heb geoefend en het gaat perfect. Met een brede grijns op mijn gezicht draai en zwier ik om, op en over mijn stoel.

Ondertussen loopt Lonneke achter ons langs. Ze gilt de danspassen met ons mee: '*Kick*, draai en *pas de bourrée*. Tak! Tak!' Ze blijft stilstaan voor mijn stoel en ik weet dat ze wacht op het moment dat ik een verkeerde beweging maak en ze weer een excuus heeft om me uit te kafferen. Ze kijkt naar me als een roofdier dat wacht tot haar prooi voldoende is verzwakt. En ik ben de prooi, dat is duidelijk.

Ik word een beetje zenuwachtig van haar argusogen die elke beweging die ik maak nauwkeurig volgen, maar ik doe heel hard mijn best om me op de dans te concentreren. Zelfs zo hard dat ik bijna het puntje van mijn tong afbijt door alle inspanning. Ik mag niet vallen en ik mag geen fouten maken, is het enige wat ik kan denken.

Maar goed, zoals gewoonlijk blijft mijn voet weer haken achter een stoelpoot en ik kletter bijna tegen de grond. Heel even ben ik compleet uit mijn doen, maar ik weet rechtop te blijven staan en probeer me zo snel mogelijk te herstellen.

Jammer genoeg is het al te laat.

Lonneke vliegt naar de stereo-installatie en drukt bruut de muziek uit. 'Puck, ik stel voor dat jij met je stoel achter de rest van de groep gaat staan, want dit gaat niet goed.'

'Dat is niet eerlijk!' roep ik uit. 'Ik struikelde, dat kan iedereen overkomen.'

Lonneke stapt op me af en pakt mijn stoel vast. 'Dat kan wel zo zijn,' snauwt ze, 'maar bij jou valt er nog heel erg veel te verbeteren, dus ik stel voor dat je elke kans om te leren met beide handen aangrijpt.' Met mijn stoel in haar hand loopt ze naar achteren en zet hem recht achter de andere dansers weer neer.

Nijdig stamp ik naar mijn stoel. Ze zet me gewoon voor schut! Ik kijk naar de negen dansers die op een rijtje voor me staan en dan naar mijn eigen stoel, die daar helemaal zielig in zijn eentje achter staat.

'Nou jongens, laat Puck maar eens zien hoe het wel moet!' roept Lonneke en ze start de muziek weer.

'Neem een slok water, kom even op adem en kom dan naar me toe, want ik heb nog wat met jullie te bespreken,' zegt Lonneke tegen de hele groep. Ze draait haar eigen waterflesje open en drinkt het met gulzige slokken helemaal leeg. Ik weet niet precies waarom zij zoveel dorst heeft, want ze heeft de hele les niets anders gedaan dan een beetje rondlopen en roepen hoe slecht ik kan dansen. Ik steun met mijn handen op mijn knieën en hap piepend naar adem. We zijn compleet afgebeuld door Lonneke en hebben twee uur lang zonder pauze gedanst.

'Hier,' zegt Sterre hijgend. Ze reikt me een flesje met ijskoud water aan.

Ik pak het dankbaar aan en zet het aan mijn lippen.

Het koude water smaakt naar... naar... de hemel. Kreunend zak ik door mijn knieën en ik ga op de koude vloer liggen. 'Ik voel mijn benen niet meer,' klaag ik, 'volgens mij zijn ze afgestorven.' Ongerust stroop ik de broekspijp van mijn trainingsbroek omhoog en controleer zorgvuldig of mijn benen niet toevallig zijn veranderd in twee zwarte, dode stompjes.

Sterre kruipt naast me op de koele vloer en gaat plat op haar buik liggen. 'Lekker koud,' mompelt ze tevreden en ze sluit haar ogen.

Ik ben blij dat de repetitie over is, want het was pure verschrikking. Lonneke heeft me de volle twee uur helemaal in mijn eentje achter de andere dansers laten staan. Steeds stonden zij met z'n negenen op een rij en daarachter was ik dan opgesteld, helemaal in mijn uppie. Ik stond daar echt heel zielig en alleen een beetje weg te kwijnen. Maar ik weiger om me weg te laten pesten door Lonneke. Ze mag al haar gestoorde plannen op me afvuren, maar ze krijgt me echt niet weg.

'Wil iedereen nog even hier komen?' roept Lonneke.

Ik hijs mezelf met tegenzin omhoog en sjok langzaam naar haar toe.

'Goed,' zegt Lonneke als iedereen om haar heen staat. 'Volgende week wil ik met jullie gaan werken aan de einddans van *Wonderland*. Met deze dans wordt de musical afgesloten en het is dus onze kans om een verpletterende indruk op het publiek te maken.'

Haar woorden dringen niet echt tot me door, ik ben veel te moe. Er klinkt een flauw gemurmel door de dansgroep. Iedereen is veel te afgepeigerd en uitgeput om enthousiast te raken.

'Kan iemand van jullie de flikflak?' vraagt Lonneke ineens.

Er gaat maar een vinger de lucht in – de vinger van Leonie. 'Ja, ik kan de flikflak,' zegt ze zachtjes.

Lonnekes gezicht licht helemaal op. 'Geweldig!' roept ze. 'Kun je dat misschien even voordoen?'

Leonie knikt en loopt een stukje naar achteren. Heel even blijft ze daar stilstaan en de hele dansgroep staat met ingehouden adem naar haar te kijken. Dan neemt ze een harde aanloop, maakt een huppelsprong en zet zich hard af tegen de grond. Ze maakt een kaarsrechte flikflak en landt zonder moeite en met beide benen weer op de grond.

Ze krijgt een uitgebreid applaus. Ik klap zo hard dat mijn handen er pijn van doen.

'Fantastisch!' zegt Lonneke glunderend. 'Dat is precies wat ik nodig heb om de einddans met een grote klapper af te sluiten! Leonie wordt onze grote ster.' Ze trekt Leonie naar zich toe en slaat een arm om haar schouder. 'En nu mogen jullie naar huis,' zegt ze dan. 'Tot volgende week!'

Sterre en ik strompelen naar onze spullen. Ik kan niet wachten tot ik thuis ben en onder de douche kan springen, want mijn dansoutfit is helemaal nat van het zweet. Het loopt in straaltjes van mijn rug. Ik trek een dik vest aan over mijn danskleding, want buiten is het koud. Dan pak ik mijn tas. Met de hele groep lopen we zwijgend de vrijwel verlaten school door. Bas zit nog in zijn hokje en in een paar lokalen brandt licht, maar verder is de school leeg. Ik heb het vervelende gevoel dat ik iets ben vergeten en probeer te bedenken wat. Met mijn hand voel ik in mijn lege broekzak. Huh?! Waar is mijn...?

'Mijn mp3-speler ligt nog in de gymzaal!' roep ik uit. Ik draai me om en begin terug te lopen. Dit is een ramp. De mp3-speler is een van mijn belangrijkste bezittingen. Het is ironisch genoeg ook het voorwerp dat ik het vaakst per ongeluk ergens achterlaat en totaal vergeet.

'Ik wacht bij de fietsen!' roept Sterre en ze loopt achter de andere dansers aan in de richting van de fietsenstalling.

'Oké!' roep ik terug, terwijl ik me probeer te herinneren waar ik mijn dierbare bezit heb laten liggen. Ik ben zo hard aan het nadenken waar ik dat ding heb gelaten dat ik helemaal niet doorheb dat er iemand achter me loopt.

'Hoi, Puck!'

Ik verstijf helemaal. Mijn hersenen zijn nog bezig om de stem te verwerken die ik net mijn naam hoorde zeggen.

'Puck?' De stem is nu vlak achter me, maar mijn hersenen zijn nog niet klaar met verwerken. Mijn hersenen zijn nogal langzaam.

Ineens staat Jesse voor me. Voor de verandering ziet hij er weer eens totaal goddelijk uit. Zijn donkere haar valt net voor zijn bruine ogen en hij heeft zijn handen achteloos in de zakken van zijn spijkerbroek gestoken. Zijn armen zitten helemaal onder de verfvlekken en dat maakt hem extra sexy. Ik zie er zelf jammer genoeg iets minder goddelijk uit in mijn verwassen trainingsbroek en mijn veel te grote vest. Ik voel de straaltjes zweet die nog steeds langs mijn gezicht lopen. Iew.

'Hé,' zegt Jesse.

'Hé,' zeg ik. Even is het stil.

'Hoe gaat het?' vraagt hij dan.

'Goed.' Ik friemel aan de rits van mijn vest. 'En met jou?'

'Goed.' Weer is er een stilte en ik kan de ongemakkelijke sfeer bijna aanraken. 'Je bent niet langs geweest,' zegt hij ineens. Verbeeld ik het me nu of klinkt er echt teleurstelling door in zijn stem?

'Nee, eh... sorry,' stamel ik. 'Ik had het heel druk.'

Jesse kijkt me een beetje sip aan. 'O,' zegt hij.

Wauw, hij is écht teleurgesteld. Ik val bijna om van verbazing en ultieme blijdschap. Jesse, de onbereikbare godheid uit de vierde klas, is teleurgesteld omdat ik, de superonhandige flapuit uit de tweede klas, niet bij hem langs ben geweest in het ckv-lokaal. Het lijkt wel alsof ik in een andere dimensie ben terechtgekomen.

Jesse kijkt nog steeds een beetje beteuterd en mijn hart smelt helemaal. 'Ik eh... wilde wel,' stamel ik, 'maar...'

Maar wat? *Ik durfde niet? Ik moet telkens kwijlen als ik je zie? Ik heb steeds het gevoel dat ik flauw ga vallen als je naar me kijkt en dat vind ik niet handig?*

Jesse kijkt me afwachtend aan.

'Maar ik kon het ckv-lokaal niet meer vinden,' flap ik er uiteindelijk uit.

Even is het stil, maar dan moet Jesse ineens heel hard lachen. 'Dat is wel een groot probleem,' geeft hij toe.

Ik knik. 'Misschien kun je een plattegrond voor me tekenen?' opper ik.

Jesse doet alsof hij nadenkt. 'Dat zou kunnen,' zegt hij. 'Of ik kan je er ook gewoon heen begeleiden.'

'Nu?' vraag ik verbaasd. 'Maar ik stink heel erg naar zweet!'

Jesse lacht weer en er verschijnen superschattige kuiltjes in zijn wangen die me eerder nog niet waren opgevallen. 'Daar kom ik wel overheen,' zegt hij, en hij reikt me zijn hand.

Ik grijp die en laat me door Jesse meetrekken. 'Sterre staat buiten op me te wachten...' stribbel ik nog even tegen. Jesse kijkt me aan en ik smelt helemaal. '... maar ze begrijpt het vast wel.'

Samen lopen we naar het ckv-lokaal. Als we langs de gymzaal komen stappen Eline en Lonneke net naar buiten. Ik laat snel Jesses hand los, want ik moet er niet aan denken dat ze erachter komen hoe verliefd ik ben. Ik twijfel er niet aan dat Lonneke wel een manier verzint om die informatie tegen me te gebruiken. Eline lijkt mij niet eens op te merken en richt al haar aandacht meteen op Jesse.

'Hoi, Jesse,' zegt ze poeslief.

Ik probeer zo nonchalant mogelijk te doen, alsof ik elke dag met allerlei jongens door verlaten scholen loop, en alsof deze situatie de normaalste zaak van de wereld is.

'Hoi, Eline,' zegt Jesse. Hij glimlacht naar haar en blijft even staan.

Lonneke draait de deur van de gymzaal op slot en beent met grote stappen weg. 'Kom, Eline!' gilt ze.

Eline zwaait naar Jesse en negeert mij, maar ik doe net of ik dat laatste niet opmerk.

'Tot volgende week!' roep ik en ik zwaai terug.

Eline haalt haar neus op. 'We zullen zien,' hoor ik haar mompelen.

10

'Ik geloof niet dat zij ooit een wiskundesom van dichtbij heeft gezien,' fluistert Sterre in mijn oor.

Ik knik instemmend en kijk sprakeloos naar de lerares
die staat te klungelen bij het bord. Ze heet mevrouw
Springeling; ze is de vervanger van de Reus en ze kan er
helemaal niks van. Het enige wat ze doet is mompelen
tegen zichzelf. Ze negeert de klas totaal. Zou ze eigenlijk wel weten wat wiskunde is? Ik kijk naar mijn klasgenoten, die allemaal uit verveling ongeveer in coma
liggen.

Opeens steekt Sterre haar vinger op en mevrouw
Springeling kijkt er een beetje onthutst naar. Eerst is er
een lange stilte en dan zegt ze: 'Ja?'

'Ik weet niet precies waar u bent, mevrouw,' begint
Sterre, 'maar wij zijn bij hoofdstuk zes.'

Mevrouw Springeling schudt een beetje meewarig
haar hoofd en zet haar knalrode bril met dikke jampot-
glazen op. Haar ogen lijken nu gigantisch en ze doet me
denken aan een uil.

'En wie ben jij?' vraagt ze, terwijl ze zich een beetje naar
voren buigt.

'Sterre, mevrouw.'

Mevrouw Springeling loopt naar haar bureau en maakt

een aantekening. 'Nou, Sterre,' zegt ze, 'je hebt je eerste aantekening te pakken. Nog twee van zulke onbeleefde onderbrekingen en je gaat eruit.'

Verontwaardigd kijk ik naar de vrouw met de enorme uilenogen vooraan in de klas. Wat is dit nu weer voor belachelijks? Sterre deed toch niks? Ik weet dat het niet verstandig is, maar ik kan me niet beheersen. Dit is onrechtvaardig en tegen onrechtvaardigheid moet je vechten.

'Dat is niet eerlijk!' roep ik, terwijl ik overeind kom.

Mevrouw Springeling lijkt een beetje te schrikken van mijn dramatische reactie. 'En wie ben jij dan wel?' vraagt ze.

'Puck.' Ik kijk haar uitdagend aan.

Mevrouw Springeling pakt haar pen op en maakt nog een aantekening. 'Voor jou geldt hetzelfde, Puck,' zegt ze. 'Ik stel voor dat je nu gaat zitten.'

'Maar...' protesteer ik.

Maar mevrouw Springeling valt me in de rede. Ze pakt haar pen weer op en zegt: 'En dat is dan je tweede aantekening. Ga nu zitten.'

Dit kan ze niet menen! Ik kijk om me heen of er misschien ergens verborgen camera's hangen. Sterre pakt mijn hand en trekt me op mijn stoel. Diep gekrenkt sla ik mijn armen over elkaar. Ik mis de Reus. Ik mis de Reus verschrikkelijk erg.

Intussen heeft mevrouw Springeling haar slaapver-

wekkende gemompel alweer voortgezet en ik staar afwezig uit het raam. Nou ja, misschien is het maar goed
ook dat ze niet kan lesgeven, want ik ben nu ook niet
echt in staat om op te letten. Mijn gedachten dwalen de
hele tijd af naar gisteren. Ik krijg het beeld van Jesse, die
verlegen zijn kunstwerken aan me liet zien, niet meer uit
mijn hoofd. Toen we naar het ckv-lokaal liepen had hij
nog best een grote mond. Hij was echt een beetje aan
het opscheppen over zijn decor. Maar toen hij eenmaal
de deur van het lokaal voor me opende werd hij ineens
heel schattig verlegen en zenuwachtig.

Dat was trouwens echt nergens voor nodig, want zijn
werk is magnifiek. De beschilderde doeken die straks de
achtergrond voor het wonderland moeten voorstellen
zien er heel mooi uit. Er is een schildering bij van een
groot bos vol met reuzenbloemen en gigantische pad-
denstoelen. En nu werkt hij aan het kasteel van de gemene Rode Koningin. Ik had nog wel uren samen met
hem in het lege ckv-lokaal willen doorbrengen, maar helaas kwam Bas ons eruit schoppen omdat hij de school
moest afsluiten.

Eerlijk gezegd had ik het helemaal niet erg gevonden
om samen met Jesse opgesloten te zitten in een verlaten
schoolgebouw. Jeetje, dat lijkt me romantisch. Misschien
moet ik eens aan Bas voorstellen dat hij ons de volgende
keer per ongeluk expres vergeet. Wie weet kan ik hem
omkopen met een chocoladereep.

Ineens merk ik dat er twintig paar ogen op mij zijn gericht. Ik kijk een beetje verdwaasd terug. Wat is er nu weer aan de hand?

'Dat is dan je derde aantekening, Puck. Eruit!' roept mevrouw Springeling kwaad en ze pent driftig iets neer op het papier dat op haar bureau ligt.

Ik snap er niks van. Mijn derde aantekening? Ik kijk Sterre vragend aan. 'Waarom?' fluister ik.

Ze giechelt en buigt zich naar me toe. 'Je zat nogal luidruchtig te zuchten en toen kreunde je Jesses naam,' fluistert ze terug.

Ik kijk haar met grote ogen aan. Dat meent ze niet. Toch?

'Puck!' Mevrouw Springeling staat voor de klas en wijst met een priemende vinger naar de deur. Ik sla mijn wiskundeboek met een knal dicht en prop hem in mijn tas. Mijn hoofd is alweer rood aan het worden, dat voel ik. Alsof al het bloed in mijn lichaam ineens op hetzelfde moment heeft besloten dat mijn hoofd de tofste plek is om heen te gaan.

Ik sta op en sjok naar de deur van het lokaal. Eline zit aan het tafeltje het dichtst bij de ingang en kijkt me vol leedvermaak aan. Ik wend mijn blik af en grijp de deurklink vast, maar Eline is niet van plan me met rust te laten.

'Kijk eens,' fluistert ze. Ik werp een blik op mevrouw Springeling, maar die is alweer bezig met haar saaie geneuzel. Eline legt onopvallend haar mobieltje op haar tafeltje en draait het schermpje naar mij toe. Er staat een berichtje open op het scherm van haar telefoontje: *Hé mooie meid. Zie ik je vanmiddag? xxx Jesse.*

Het bloed dat net nog naar mijn wangen stroomde, trekt nu tien keer zo snel weer weg. Jesse? Sms'en Jesse en Eline met elkaar? Maar waarom...?

Ineens heb ik het heel erg koud, mijn hele lijf rilt. Jesse en Eline? Samen? Zou dat waar kunnen zijn? Het lijkt wel alsof ik spontaan in een ijspegel ben veranderd. Ik sta als bevroren bij de deur, met de deurklink in mijn hand en met mijn ogen gericht op het mobieltje van Eline.

'Puck, sta daar niet zo te staan. Het is mooi geweest!' brult mevrouw Springeling 'Ga je melden!'

En dan sta ik opeens in mijn eentje op de gang. Het is stil. Ik voel me heel zielig, verdrietig en onrechtvaardig behandeld. En ik heb het nog steeds ijskoud.

Achter me hoor ik de deur van het wiskundelokaal opengaan en daarna met een harde knal dichtvallen. Iemand slaat een arm om me heen.

'Je dacht toch niet dat je zonder mij de wiskundeles kunt skippen, hè?' zegt Sterre. Arm in arm lopen we de verlaten gang door. 'Die Springeling komt volgens mij echt van een andere planeet,' zegt ze. 'Ze is vast verbannen van haar thuisplaneet, omdat ze zo vreemd doet.'

Ik geef geen antwoord. Het enige waar ik aan kan denken is het sms'je op de telefoon van Eline.

'Ik ben blij als de Reus weer terug is. Jij niet?' gaat Sterre verder, maar ik reageer nog steeds niet. 'Puck?' vraagt ze.

Verdwaasd kijk ik op, recht in de bezorgde ogen van Sterre.

'Wat is er?' vraagt ze.

Ik schud mijn hoofd. 'Niks.'

Maar Sterre kent me langer dan vandaag. Ze blijft stilstaan en slaat streng haar armen over elkaar. 'Vertel.'

'Eline had een sms'je van Jesse in haar mobieltje staan.'

De mond van Sterre valt wijd open. 'Wat?!'

Ik knik. 'Ja, ze hebben vanmiddag een afspraakje.' Somber loop ik verder de gang door.

Sterre sjeest op me af en slaat haar armen weer om me heen. 'Dat hoeft niks te betekenen, Puck. Misschien zijn ze wel broer en zus? Of neef en nicht, en hebben ze vanmiddag een familiereünie?'

Ik schud mijn hoofd. 'Hij noemde haar een "mooie meid",' zeg ik.

'O.' Sterre is nu ook stil. Zwijgend slenteren we verder door de school.

Wanneer we de hoek omgaan, zien we in de verte iemand onze richting op lopen. 'Is dat...' begint Sterre en ze knijpt haar ogen tot spleetjes. 'Ja! Het is Lonneke!' roept ze uit.

Ik kijk ook en inderdaad, het is Lonneke. Haar manier van lopen herken ik uit duizenden. Ze heeft altijd een hand in haar zij en wiegt haar heupen overdreven van links naar rechts. In haar hoofd ziet het er vast heel sexy uit, maar in het echt is het nogal een eigenaardig gezicht.

'Ze mag ons niet zien,' sis ik en ik grijp Sterres arm en trek haar weer mee de hoek om. We zitten op onze hurken tegen de muur en kijken elkaar aan.

'Wat nu?' fluistert Sterre. 'Eh...'

Tja, daar had ik nog niet over nagedacht. Ik kijk snel om het hoekje, het silhouet van Lonneke komt steeds dichterbij. 'Eh...' zeg ik weer, 'volgens mij moeten we wegwezen.' Ik sta al op het punt om keihard weg te sprinten.

Maar Sterre houdt me tegen. 'Nee, wacht.' Sterre gluurt ook om het hoekje. 'Ze gaat het biologielokaal binnen,' sist ze. 'Ze gaat vast met meneer Van Vlimmeren praten.'

Zo zachtjes en subtiel als we kunnen, sluipen we vanaf onze veilige plek naar de deur van het biologielokaal. En dat is niet zo makkelijk voor ons, want zachtjes en subtiel is niet ons ding. Ik heb mijn nieuwe gympen aan en die piepen enorm. Bij elke stap die ik zet lijkt het wel alsof ik een nest zielige, hongerige babymuisjes aan het vertrappen ben. Bij elke piep kijk ik angstig naar de deur, want ik verwacht steeds het hoofd van Lonneke te zien.

Gelukkig bereiken we zonder grote rampen het biologielokaal. De deur staat op een kier en ik schuifel er zo dicht mogelijk naartoe.

'... en ik kan niet met haar werken,' hoor ik Lonneke zeggen.

Er klinkt geritsel van papier en dan komt er een diepe zucht uit de mond van meneer Van Vlimmeren. 'Zo ken ik haar helemaal niet,' zegt hij.

Ik spits mijn oren en probeer elk piepklein detail van het gesprek op te vangen. Ik schuif mijn hoofd steeds dichter en dichter naar de deur toe. Met één oog kan ik nu naar binnen kijken. Lonneke zit boven op het bureau van meneer Van Vlimmeren. Ze heeft haar benen over elkaar geslagen en hangt verleidelijk naar achter. Ze tuit haar lippen een beetje en knippert met haar ogen.

'Ik vind het heel moeilijk om met haar om te gaan,' verzucht ze dramatisch. 'Ze is een heel speciaal meisje en heeft speciale aandacht nodig. Ik kan haar die aandacht niet geven.' Ze haalt een hand door haar haren en kijkt meneer Van Vlimmeren met grote ogen aan.

Hij wordt er helemaal verlegen van en strijkt met zijn hand door zijn baard. Er vallen allemaal kruimels uit.

'Ik weet gewoon niet zo goed wat ik nu aan moet met Puck,' gaat ze dramatisch verder.

Mijn mond valt wijd open. Ze heeft het over mij! Ze is bij meneer Van Vlimmeren aan het klagen over mij. Wat een lef. Ik bal mijn vuisten en stel me voor hoe het zou zijn om haar hoofd als boksbal te mogen gebruiken.

'Sst,' fluistert Sterre in mijn oor. 'Niks stoms doen, Puck.' Ze slaat haar armen om mijn middel om te voorkomen dat ik gillend naar binnen ren.

'Ik zal wel een beetje op haar letten,' zegt meneer Van Vlimmeren. 'Ik zie geen reden om haar uit de groep te zetten, maar ik hou het in de gaten.'

Gelukkig, meneer Van Vlimmeren laat zich niet compleet inpakken door Lonneke. Ik glimlach opgelucht, maar Lonneke is niet tevreden. Ze trekt een pruilmondje.

'Kom, kom, niet zo'n gezicht,' bromt meneer Van Vlimmeren. 'Ik vind dat Puck een mooie aanwinst voor de dansgroep is.'

Lonneke buigt zich voorover naar hem toe en pakt zijn stropdas vast. 'Mooie stropdas,' zegt ze en ze trekt zijn hoofd dichter naar haar hoofd toe. Ze kijkt hem diep in zijn ogen. Zijn baard raakt nu bijna haar kin en als ze al die kruimels en andere etensresten vies vindt, dan laat ze dat in elk geval niet merken.

Ik denk aan de slechte adem van meneer Van Vlimmeren en moet bijna kotsen. Lonneke moet wel echt een ongelooflijke hekel aan me hebben als ze zelfs de baard en de adem van meneer Van Vlimmeren trotseert.

'Wat ben je toch een wijze, goed geklede man,' zegt ze zwoel, 'zo sterk. Je straalt autoriteit uit, weet je dat?'

Meneer Van Vlimmeren slikt. 'Dank je,' mompelt hij helemaal van slag. 'Ik zal Puck in de gaten houden. Was dat alles?'

Boos laat Lonneke zijn stropdas los en springt van de tafel af.

Sterre en ik stuiven terug naar onze veilige plek, en we zien Lonneke ontevreden het biologielokaal uit stampen. Meneer Van Vlimmeren staat in de deuropening en kijkt haar dromerig na.

'Wat ziet hij toch in haar?' vraag ik me af.

'Geen idee,' zegt Sterre. 'Waarschijnlijk zijn de duivelshoorntjes op haar hoofd onzichtbaar voor hem.'

11

'Ik verveel me,' zeg ik chagrijnig. Ik lig languit op Sterres bed en ik ben Jansen, de kat van Sterre, aan het pesten met een laserlampje. Als je met het rode lichtje op de grond schijnt, dan wordt hij echt helemaal gek en rent hij er als een wilde achteraan. Ik ben dol op katten, maar omdat mijn vader allergisch is voor ongeveer alles in de wereld mogen we thuis geen huisdieren hebben. Van vachten en veren krijgt hij uitslag en dus heb ik jammer genoeg niets om te knuffelen. Mijn zusje heeft wel een wandelende tak in een glazen bak op haar kamer, maar dat beest doet niks, behalve eruitzien als een tak. Ik schijn met het lampje op het plafond en Jansen springt erachteraan en krast met zijn nagels tegen het behang.

Sterre ligt naast me en zit hartjes te tekenen in haar opengeslagen wiskundeschrift. 'Hij is zóóó knap,' mompelt ze.

Ik draai mijn hoofd naar haar toe. 'Wie bedoel je nu weer?'

Ze begint het hartje in te kleuren en zegt: 'Dylan natuurlijk!' Dylan is Sterres bijlesleraar voor wiskunde en elke week spreken ze in de mediatheek af en leert hij haar een uur lang van alles over formules en berekeningen in ruil voor een zak drop.

Ik wijs naar een opdracht in haar wiskundeschrift. 'Dit is fout, hoor. Dat zie ik zelfs.'

'Weet ik.' Sterre grijnst. 'En Dylan mag me uitleggen waarom.'

Ik zucht en schud mijn hoofd. Sterre is helemaal niet slecht in wiskunde. Sterker nog, ze heeft een eng soort talent voor cijfertjes. Maar bij Dylan doet ze net of ze debiel is, zodat ze een uurtje kwijlend naast hem kan zitten. Het lijkt mij persoonlijk niet echt de beste manier om het hart van een jongen te veroveren, maar Sterre is overtuigd van het effect van haar methode. Ik kijk naar Jansen, die nog steeds verwoed het rode lichtje te pakken probeert te krijgen.

'Hij moet gevoerd worden,' zegt Sterre. 'Doe jij het maar even.'

Puffend en kreunend hijs ik mezelf van Sterres bed omhoog. Sinds ik meedoe met de dansgroep heb ik echt altijd en overal gigantische spierpijn. 'Kom, Jansen,' roep ik. 'Dan gaan we lekker eten.' Ik schijn met het laserlampje op de vloer van de overloop en Jansen racet achter me aan.

'Niet het hele blik leegmaken, want hij is al veel te dik!' roept Sterre nog vanuit haar slaapkamer.

'Neehee,' verzucht ik en ik stamp de trap af.

We zijn trouwens nogal chagrijnig vandaag, Sterre en ik, want eigenlijk zou vandaag een ultieme winkeldag moeten zijn. We hebben allebei namelijk heel hard een nieuwe outfit nodig, want we kunnen niets meer aan. We hebben elkaars kleren ook al allemaal gedragen. Jammer genoeg heeft het openbaar vervoer in het dorp zich massaal tegen ons gekeerd en onze ouders wilden ons niet naar de stad brengen. Ik heb mijn moeder zelfs aangeboden een jaar lang de afwas te doen met de hand (en we hebben een afwasmachine, dus moet je nagaan hoeveel ik ervoor overheb), maar ze had geen zin. Echt, dat zei ze. Ze had het niet te druk of zoiets, maar ze had geen zin. Ik zou nooit tegen mijn kinderen zeggen dat ik geen zin heb om iets voor ze te doen. Nee, ik zou van mijn kinderen houden en dankbaar zijn dat ze bestaan! Wat nou als ik nu doodga? Als ik bijvoorbeeld geëlektrocuteerd word door de broodrooster in Sterres keuken, dan zijn de laatste woorden van mijn moeder tegen mij: 'Ik heb geen zin.' Niet: 'Ik hou van je en je bent mijn lievelingskind,' maar: 'Ik heb geen zin.'

Hoofdschuddend loop ik de keuken in en kijk zoekend rond. Het is een grote chaos. Overal staan vieze en schone borden en pannen door elkaar heen en de kasten staan vol potten met daarin allerlei verschillende kruiden en zaden. De moeder van Sterre maakt haar eigen zalfjes en crèmes tegen ongeveer alle aandoeningen. Ik heb zeker duizend potjes met haar zalf tegen alle kwaaltjes in de wereld op mijn kamer staan, maar het helpt nooit en het stinkt ook nog. Sterre is ook niet zo blij met de hobby van haar moeder, want de keuken ligt altijd vol met de raarste en de onsmakelijkste dingen.

Mijn blik valt op een glazen pot waar een hele berg glibberige naaktslakken in rondkruipt. De moeder van Sterre gelooft in de helende kracht van slakkenslijm en doet stukjes slak in al haar zalfjes. Ik probeer niet naar de glimmende pot te kijken en open een keukenkastje op zoek naar een blik kattenvoer.

Jansen wordt meteen helemaal gek als hij merkt dat hij eten krijgt.

'Kom maar, lekker ding,' zeg ik en ik schep de inhoud van het blik tot en met het laatste stukje vlees in zijn bak. 'Je baasje mag je dan wel dik vinden, maar daar ben ik het niet mee eens.' Ik aai hem over zijn dikke, glanzende, rode vacht. 'Je bent misschien een beetje mollig, maar dat staat je hartstikke goed.' Ik zet de bak voor zijn neus neer. 'Hier, ik hoop maar voor je dat het lekker is, want het ziet er niet uit.' Ik blijf even staan en kijk met een vies gezicht hoe Jansen aanvalt op zijn maaltijd.

'O mijn god!' gilt Sterre opeens vanuit haar slaapkamer. 'O mijn god, Púúúúck!'

Ik ren de gang in en ga onder aan de trap staan en roep: 'Wat is er?'

Sterres hoofd verschijnt boven aan het trapgat. 'O mijn god!' gilt ze weer.

'Wat?!' gil ik terug.

'O mijn god!' Sterres hoofd is alweer verdwenen.

Ik ren de trap op met twee treden tegelijk en vlieg haar kamer binnen. 'Wat?!'

Sterre zit achter haar laptop en is compleet op het scherm gefixeerd. 'Kijk!' roept ze.' 'Moet je zien wat Eline op Hyves heeft gezet.'

Ik krijg een naar voorgevoel en durf bijna niet naar het scherm van haar laptop te kijken. 'Wat dan?' vraag ik voorzichtig.

Sterre draait de laptop naar me toe en het Hyvesprofiel van Eline komt in beeld. Ze heeft een paar seconden geleden een foto gepost van zichzelf en... Jesse?

Jesse?! In twee sprongen ben ik bij het scherm en lees ik wat er onder de foto staat. JESSE & IK OEFENEN SAMEN VOOR WONDERLAND. I <3 IT staat er.

Ongelovig staar ik naar de foto. Eline heeft haar arm om Jesse heen geslagen, haar hoofd rust op zijn schouders en ze staat er met getuite lippen op. Jesse heeft een schattig scheef en ongemakkelijk lachje rond zijn mond en kijkt een beetje onwennig in de camera. 'Nee!' is alles wat ik uit kan brengen. Ik grijp de laptop met twee handen vast en duw mijn gezicht bijna in het scherm. 'Nééééé!' Moedeloos laat ik de laptop weer los en zak ik neer op de grond.

Sterre komt naast me zitten en aait me over mijn haar. 'Het hoeft toch niks te betekenen?' vraagt ze, terwijl ze een pluk haar achter mijn oor strijkt. 'Misschien oefenen ze echt alleen maar een scène en is het puur zakelijk.'

Ik zie aan haar gezicht dat ze zelf niet eens gelooft wat ze zegt en ik schud mijn hoofd. 'Hij noemde haar een "mooie meid",' stamel ik, 'en nu dit...' Langzaam dringt de harde waarheid tot me door: Eline en Jesse vinden elkaar leuk.

Zeer hooggeëerde medewerkers van Connexxion,

Ik reis supervaak met de bus. Dat moet wel, want ik woon in een piepklein dorp zonder treinstation en de enige manier om uit dit dorp te komen is door de bus (lijn 7) te nemen. Er is ook nog een soort invalidenbusje dat hier rondjes rijdt, maar volgens mij mag je daar alleen in als je in een rolstoel zit en geen armen of benen meer hebt of zoiets. Nu is het zo dat ik niet in een rolstoel zit en ik heb ook allebei mijn armen en benen nog, dus dat invalidenbusje is niet echt voor mij bestemd.

Ik moet absoluut met jullie bus als ik dit dorp zat ben (dat ben ik nogal vaak) en dat vind ik eigenlijk helemaal niet erg. Busritten maken mij best vrolijk, want ik kan het altijd goed vinden met buschauffeurs. Zo heb ik laatst nog met buschauffeur Jaap (hij is er meestal op maandag, woensdag en donderdag) de hele rit lang gefilosofeerd over de zin van het leven. En hij heeft me ook uitgelegd waar het woord 'horeca' vandaan komt. Dat is dus blijkbaar een afkorting van HOtel, REstaurant en CAfé. Dat wist ik niet en ik vind het heel erg gaaf dat ik dat nu wel weet. Hij werkt trouwens al twaalf jaar voor jullie en ik vind dat hij een promotie verdient, want hij doet zijn werk uitzonderlijk goed. Echt hoor, hij is de beste buschauffeur die jullie hebben, vind ik persoonlijk.

Maar goed, vanochtend gebeurde er iets heel vervelends. Zo vervelend dat ik het traumatisch of superschokkend zou kunnen noemen. Ik was vroeg opgestaan. Heel erg vroeg zelfs. De slaap zat nog in mijn ogen en ik bleef maar in mijn ogen wrijven tot ze helemaal rood waren. Maar ik moest wel, want ik had een loodzware winkeldag voor de boeg. Ik kwam er namelijk een paar dagen geleden achter dat ik he-le-maal niks meer heb om aan te trekken en dat kan gewoon niet! Vooral niet omdat er een superhotte hunk op school rondloopt. En ook al kwam ik er vandaag achter dat hij waarschijnlijk verliefd is op iemand anders, ik wil er wel elk moment van de dag goed uitzien. Nou, voor een goede winkelsessie heb je een hele dag nodig en ik had dan ook de hele dag gereserveerd (samen met Sterre, mijn soulmate forever).

Ik kleedde me aan en liep nog half slapend naar beneden. Ik klampte me echt vast aan het idee dat ik straks lekker in de bus kon zitten en rustig wakker kon worden. Toen ik beneden kwam, heb ik nog een plens water in mijn gezicht gegooid en wat rek-en-strekoefeningen gedaan en toen ging het wel een beetje. Sterre kwam me precies op tijd ophalen (ze was wel bijna van haar fiets gevallen van de slaap) en daarna sjokten we samen naar de bushalte, klaar voor de grote, belangrijke taak die op ons wachtte.

En weet je wat er toen gebeurde? We liepen de bocht om en we konden de bus al zien staan. Dat is normaal, want de halte waar ik altijd opstap is de eerste halte van lijn 7 en daar moet de chauffeur wachten tot het tijd is om te vertrekken. Dus we liepen er op ons gemakje heen en toen ineens... begon de bus te ronken en kwam hij in beweging. Hij reed zomaar holderdebolder – vijf minuten te vroeg – voor onze neus weg!

Ik was totaal verbijsterd. En Sterre ook. We stonden daar met zijn tweeën een beetje verbijsterd te zijn, want we wisten echt niet wat we anders moesten doen. De volgende bus ging pas een uur later en daarom zijn we verbijsterd en wel maar weer naar huis gelopen.

Terwijl we thuis zaten te wachten op de volgende bus, zijn we in slaap gevallen en we werden veel te laat wakker. Onze plannen waren helemaal in de soep gelopen, dat snappen jullie vast wel. We waren de rest van de dag nogal depressief, maar gelukkig had mijn moeder sinaasappelyoghurt en koekjesdeegijs voor ons gemaakt bij wijze van troost. Dat maakte de dramatische gebeurtenis van die ochtend wel weer een beetje goed.

Ik ben er trouwens van overtuigd dat de buschauffeur die vanochtend te vroeg wegreed dat niet expres heeft gedaan. Waarschijnlijk was zijn horloge kapot en deed de klok in de bus het niet, en moest hij op de gok vertrekken. Ik zou daarom graag willen dat jullie voor hem een horloge kopen, zodat hij voortaan zijn werk weer goed kan doen. Misschien kunnen jullie een inzamelingsactie houden om het geld voor zijn horloge bij elkaar te krijgen? Sterre en ik doneren alvast een euro (hij zit in de envelop).

En we willen graag buschauffeur Jaap reserveren voor volgende week zaterdag, want dan gaan we nog een keer proberen om met de bus in de stad te komen.

Groetjes,
Puck de Wildt
(en ook van Sterre Dastel)

Lieve makers van Happy Cat kattenvoedselprut,

Mijn beste vriendin Sterre heeft een geweldige kat. Hij heet Jansen en hij is denk ik wel een van de meest fantastische beesten op deze wereld. Hij is heel dik en heel zacht, en het liefst ligt hij de hele dag bij mensen op schoot te slapen. O ja, en hij rent graag achter dingen aan en krabt van alles kapot (vooral behang). Daar is de moeder van Sterre niet zo blij mee. Hun huis is nergens meer heel, overal zijn grote krullen behang van de muur gekrabd. Sterre vindt het niet erg, ze vindt het juist wel artistiek (en bovendien is het behang echt heel lelijk).

Er is nog één ding dat Jansen graag doet en dat is eten. Ik denk dat Jansen en ik het daarom zo goed met elkaar kunnen vinden. Alleen heeft hij een andere voorkeur dan ik. Ik houd vooral van pizza, knakworsten en vanillevla, en zijn lievelingseten is de prut van Happy Cat. Echt waar, ik ben nu niet aan het slijmen bij jullie.

Dat hij er zo verrukt over is weten we vrijwel zeker, want Sterre en ik hebben vorig jaar ergens een keer een experiment gedaan. We hebben van vijf verschillende merken kattenvoeding gekocht en dat allemaal voor Jansens neus gezet. Nou, hij raakte de andere vier bakken niet eens aan. Hij rende direct op het Happy

Cat-eten af en verslond alles tot de laatste snik. We snapten er echt niks van, want voor ons ziet al die bruine prut er precies hetzelfde uit en het ruikt ook nog eens hetzelfde. Gooien jullie er soms een geheim ingrediënt doorheen? Zo ja, wat dan?

Maar goed, vanmiddag was ik bij Sterre op bezoek en mocht ik Jansen voeren. Ik trok het blik open en liet al het bruine voedsel in zijn bak glijden. Terwijl Jansen zich dolgelukkig op zijn eten stortte, viel mij opeens iets op. Er staat namelijk op jullie blik met kattenvoedsel het volgende: VOOR U GEPROEFD. Nou, jullie begrijpen misschien wel dat dit een belangrijke vraag bij mij opriep. Namelijk, wié proeft dat dan? Hebben jullie speciaal mensen in dienst die getraind zijn in kattenprut proeven? (Iew!) Of zijn er misschien geniale, genetisch gemanipuleerde katten aan het werk die zorgvuldig alles testen? Ik ben nu echt supernieuwsgierig.

Mocht het nu zo zijn dat jullie een speciale kattenbrigade in dienst hebben, dan wil ik bij dezen graag Jansen daarvoor opgeven. Ik ken geen enkel levend wezen op deze aarde dat zo gepassioneerd is over eten als hij. Het liefst zou hij de hele dag eten, hij slaapt zelfs naast zijn etensbak! Verder is hij natuurlijk ook een enorme Happy Cat-fan en dat lijkt me niet onbelangrijk. Je moet natuurlijk geen kat hebben die de hele tijd kotst van Happy Cat-prut, want dat is niet goed voor de promotie van het product. En mijn laatste argument is dat Jansen gewoon ook een heel mooie kat is om te zien. Dus als jullie nou ook nog op zoek zijn naar een nieuwe kat die het gezicht kan worden van Happy Cat, dan wil Jansen ook die functie met plezier vervullen. Ik stuur een foto van hem mee met deze brief, dan mogen jullie het zelf beoordelen.

Onthoud: Jansen is een drukbezette kat. Het is belangrijk dat jullie snel reageren, want er zijn nog genoeg andere bedrijven die hem wel in dienst willen nemen (we hebben al drie andere aanbiedingen die erg aantrekkelijk zijn). Ik kijk heel erg uit naar jullie enthousiaste reactie.

Met vriendelijke groet,
Puck de Wildt (manager van Jansen)

12

Mijn moeder grist het dikke boek onder de neus van Naomi vandaan en slaat het dicht.

'Hé!' roept mijn zusje verontwaardigd.

'We zitten te eten,' zegt mijn moeder streng. 'Ik wil niet hebben dat je tijdens het eten leest. Dat is ongezellig en ook heel slecht voor je spijsvertering.'

Ik kijk naar de slijmerige sliertjes op mijn bord en vraag me af wat er nog te verteren valt. Mijn moeder heeft vandaag een keer 'gekookt' en haar spaghetti ziet er een beetje uit als snot.

Naomi pakt haar vork en begint met een vies gezicht op haar eten in te hakken.

Met een geërgerde blik kijkt mijn moeder ernaar, maar ze richt haar aandacht dan op Niels, die zijn maaltijd naar binnen schrokt alsof hij nog nooit in zijn leven iets eetbaars heeft gezien. 'Niels! Kauwen!' commandeert ze.

Niels stopt met het naar binnen harken van zijn eten en kijkt haar boos aan. Er hangt een berg spaghettislierten uit zijn mond.

'Maar mam...! Ik moet zo voetballen met Lars,' protesteert hij en hij slurpt de enorme sliertenmassa in één keer naar binnen. Zijn hele gezicht zit onder de rode saus, die hij wegveegt met zijn mouw.

De ogen van mijn moeder zijn groot van afschuw. Ze geeft mijn vader een harde por in zijn zij. 'Klaas, zeg ook eens iets.'

Mijn vader kijkt verstoord op van zijn bord. 'Het is heerlijk, schat,' mompelt hij afwezig. 'Mmm.' Hij wrijft over zijn buik om duidelijk te maken hoe erg hij van zijn eten geniet en slurpt dan met een zuur gezicht een sliertje spaghetti naar binnen.

Ik zit met mijn vork te spelen, draai er telkens een dikke lading spaghetti omheen en laat de smurrie daarna terugvallen op mijn bord. Het leven is zwaar en oneerlijk en ik heb absoluut geen zin in mijn moeders glibberige eten.

Maar mijn moeder heeft overduidelijk besloten om ons allemaal lastig te vallen en ze richt zich dus ook tot mij. 'Puck, eet eens wat. Ik heb er erg mijn best op gedaan,' gebiedt ze.

Ik pluk een sliert spaghetti van mijn bord en snijd hem in precies veertien stukjes. Een van die stukjes stop ik in mijn mond en ik kauw er overdreven lang op. Mijn moeder zucht en laat haar hoofd in haar handen vallen. 'Waarom heb ik geen lief en gehoorzaam gezin?' roept ze uit. Ze zit nu vast weer aan haar voorbeeldige robotkinderen te denken, die haar waarschijnlijk zouden prijzen om haar geweldige snoteren.

Maar ik heb even geen zin om mijn moeder op te vrolijken. Ik heb namelijk wel andere dingen aan mijn hoofd, zoals Lonneke, die vastbesloten lijkt te zijn om mij uit het dansteam te gooien, en Eline, die al haar charmes in de strijd gooit om Jesse te versieren.

Na die ene foto op het Hyvesprofiel van Eline verschenen er nog een paar. In de klas praat ze telkens heel luid over hem en al de schattige dingen die hij zegt en doet, en ze laat aan iedereen zijn sms'jes lezen. Tegenwoordig staat ze in de schoolpauzes ook vaak om hem heen te dartelen. Het is echt heel erg vermoeiend en supervervelend allemaal.

Sterre zegt dat ik moet vechten voor Jesse en dat ik mijn ware liefde niet mag opgeven. Maar hoe kan hij mijn ware liefde zijn als hij dolgraag zijn tijd doorbrengt met één van mijn aartsvijanden? Dat lijkt me niet echt de bedoeling. Ik heb Jesse ook al niet meer gesproken sinds die keer in het ckv-lokaal en dat is al best een tijdje geleden. Maar goed, dat is mijn eigen schuld, want telkens als ik hem zie lopen duik ik weg. En dat is geen gemakkelijke bezigheid, neem dat maar van mij aan. Ik zit van top tot teen onder de blauwe plekken. Ik kruip onder tafels en stoelen en achter deuren en hoeken om Jesse maar niet onder ogen te hoeven komen. Hij gaat het dan vast hebben over Eline en hoe geweldig hij haar vindt – en dat kan ik er echt even niet bij hebben.

'Heeft iemand nog iets te vertellen?' vraagt mijn moeder in een poging om de stilte te doorbreken. 'Niels, wat heb je vandaag op school gedaan?'

Niels haalt zijn schouders op. 'Niks bijzonders.'

'Heb je je wiskundeproefwerk al teruggekregen?'

Niels kleurt een beetje rood. 'Nee,' mompelt hij zachtjes, maar hij liegt, dat kun je zien. Als Niels liegt, dan is dat altijd overduidelijk te merken, hij gaat dan heel zachtjes praten en ontwijkt elk oogcontact.

Mijn vader heeft het ook door en hij legt zijn vork neer. 'Niels?' buldert hij.

Niels zucht en draait met zijn ogen. 'Goed, goed,' zegt hij, 'ik had een vijf.'

Mijn moeder veegt haar mond af met een servet en kijkt Niels dan diep, diep teleurgesteld aan. 'Je weet wat dat betekent,' zegt ze. 'Geen voetbal deze maand, alleen maar wiskundesommen.'

'Maar...' probeert Niels nog, maar de blikken van mijn ouders stralen een en al onverbiddelijkheid uit en hij geeft het meteen al op. 'Daarom vertel ik jullie ook nooit iets,' bromt hij kwaad en slaat zijn armen over elkaar en leunt naar achter in zijn stoel.

Het is weer stil aan tafel. Je hoort alleen nog maar het gekletter van bestek. Mijn vader schraapt zijn keel, mijn moeder zucht een paar keer heel erg diep en mijn zusje kijkt verlangend naar haar boek.

'Lonneke haat me.' Ik flap het er zomaar uit. Ik kan er niks aan doen, ik moet er met iemand over praten, ik heb advies nodig.

'Moet ik haar in elkaar slaan?' oppert Niels. Hij schiet

overeind en maakt van zijn rechterhand een vuist waarmee hij keihard op tafel slaat. Ik schiet in de lach en heel even overweeg ik zijn aanbod. Het zou een heleboel oplossen. Als Lonneke gewoon van top tot teen in het gips gezwachteld op een ziekenhuisbed zou liggen, zou dat mijn leven zoveel aangenamer maken. En ik zou zelfs bij haar op ziekenbezoek gaan en mijn naam heel groot op haar gips zetten.

Mijn moeder negeert Niels en buigt zich naar me toe. 'Kunnen jij en Lonneke het nog steeds niet met elkaar vinden, lieverd?'

Ik schud mijn hoofd. 'Nee, ze is er echt op uit om mij het leven zuur te maken.'

'Nou, nou, dat is wel een zware beschuldiging,' zegt mijn vader.

'Maar het is echt zo!' roep ik wanhopig uit.

Mijn vader schudt zijn hoofd en neemt een hap van zijn slijmerige maaltijd. 'Het zal allemaal wel meevallen, liefje.'

Mijn moeder knikt. 'Ja,' beaamt ze, 'zo erg zal het wel niet zijn. Het zal wel tussen je oren zitten. Je bent altijd al een beetje dramatisch geweest.'

Ik staar mijn ouders ongelovig aan. Dit menen ze niet! Ik stort mijn hart bij ze uit en dit is alles wat ze te zeggen hebben? Wat heb ik daar nu aan!

'Waarom hou je er niet gewoon mee op?' vraagt mijn zusje. Ze heeft haar boek alweer te pakken en klampt het krampachtig tegen zich aan. 'Lezen is veel leuker dan dansen en het is ook leerzamer.'

'Omdat ik wil dansen!' snauw ik.

Naomi haalt haar schouders op, legt haar boek weer op haar schoot en gaat verder met lezen.

'Lieverd, heus, als je erover nadenkt, dan is het allemaal echt niet zo erg,' sust mijn moeder. 'Je stelt je gewoon een beetje aan.' Ze pakt de opscheplepel en gooit nog een plets snot op mijn bord. 'Bovendien is je schoolwerk veel belangrijker dan die musical. Concentreer je liever daarop.' Ze kwakt een berg saus over het snot heen en geeft me een knipoog. 'Hier, eet maar lekker op, dan heb je genoeg energie om straks lekker te gaan leren.'

Ik sta perplex. Waar heb ik zulke ouders nou weer aan verdiend? Ik ben vast te vondeling gelegd, dat kan niet anders. Mijn echte ouders zijn niet zo, mijn echte ouders zouden geschokt reageren en onmiddellijk eisen dat Lonneke wordt ontslagen. Mijn echte ouders houden van mij!

'Ik stel me niet aan!' barst ik uit. 'Lonneke is ontzettend gemeen tegen me, ze kraakt me constant af en zet me altijd achteraan.' Ik probeer het nog één keer. Misschien hebben ze me net niet goed verstaan. 'Ze is echt *evil*.'

Mijn moeder schudt afkeurend haar hoofd. 'Niemand is *evil*, liefje. Ik durf te wedden dat Lonneke best voor rede vatbaar is als je gewoon eens met haar gaat praten.'

Praten met Lonneke? Zo'n lachwekkend idee heb ik nog nooit eerder gehoord. 'Met Lonneke valt niet te praten. Ze is een gemeen kreng!' Ik schuif mijn stoel naar achteren en sta op. Woedend stamp ik in de richting van de woonkamer. Ik had beter helemaal niks kunnen zeggen over Lonneke.

'En dan te bedenken dat ze vroeger zo gepest werd,' zegt Niels opeens.

Ik sta stil en draai me om. 'Wie?'

Niels kijkt verbaasd op. 'Lonneke, natuurlijk!'

In twee stappen ben ik bij hem. 'Wat?! Niet!'

'Ja, wist je dat niet?' Niels staat me met open mond aan te kijken.

'Gepest?'

Niels knikt. 'Ja, de broer van Lars zat vroeger bij haar in de klas. Ze was daar echt het pispaaltje.'

Mijn ogen vernauwen zich en ik kijk hem argwanend aan. 'Zit je me nou in de maling te nemen?'

'Nee!' Niels schudt wild zijn hoofd en zijn halflange, blonde haar zwiept mee. 'Echt niet! Toen zijn broer nog bij ons op school zat kwam hij bijna elke dag thuis met een nieuw verhaal.'

Mijn hoofd is nog bezig om deze ultrabelangrijke informatie een plekje te geven. Lonneke gepest? 'Ze hebben zelfs een keer haar tas vol zwarte inkt gegooid. Volgens de broer van Lars was het allemaal heel zielig en ging het veel te ver,' zegt mijn broer. 'Een paar van de pestkoppen zijn later ook van school gestuurd. Het verbaast me dat je dat niet weet.'

Nou, mij ook. Lonneke gepest? Er verschijnt een beeld van een huilend meisje voor mijn ogen. Ze haalt een voor een al haar spulletjes uit haar schooltas, overal druipt dikke, zwarte inkt van af. Dat kan Lonneke niet zijn. Lonneke is gemeen en kwaadaardig. Lonneke leeft ervoor om mijn leven te verpesten. Lonneke is niet kwetsbaar en ook niet stil of verlegen of... zielig. Gedachteloos zak ik weer neer op mijn stoel en knijp mezelf hardhandig in mijn arm. Het zou veel logischer zijn als ik nu lig te dromen dan dat het verhaal van Niels echt waar is. De stekende pijn in mijn arm vertelt me dat ik niet droom. Ik zit Niels nog steeds ongelovig aan te staren, maar Niels heeft zijn aandacht alweer op iets anders gericht.

'Hebben we een toetje, mam?' vraagt hij.

Mijn moeder wrijft enthousiast in haar handen. 'Bitterkoekjespudding,' zegt ze met glinsterende ogen, 'en ik heb hem helemaal zelf gemaakt.'

13

'Draai, stap, draai en *kick ball change*.' Lonneke loopt rond in de zaal en schreeuwt over de muziek heen. 'En draai en draai en *kick*.' Ze knikt goedkeurend. 'Heel netjes!' roept ze. 'Dat ziet er heel erg goed uit. Hou de bewegingen strak. Tak. Tak.'

We zijn bezig met het instuderen van de laatste dans, de einddans, de allerbelangrijkste dans van de musical. Hiermee sluiten we *Wonderland* af en het is dus onze grote kans om het publiek met open mond achter te laten.

Ik moet toegeven dat de einddans heel erg gaaf is. Echt heel, heel, heel erg gaaf. We zijn nu al best veel weken bezig met de repetities en het begint echt al ergens op te lijken. Het is nu alleen nog een kwestie van perfectioneren. Alle dansen zijn zo goed als af en ik kan elke pas, stap, draai en schop ongeveer dromen. Soms betrap ik mezelf erop dat ik op straat ineens danspasjes uit *Wonderland* sta te doen. Zomaar. De muziek van *Wonderland* zit nu continu in mijn hoofd en ik maak me een beetje zorgen of het er ooit nog wel uit gaat.

Lonneke stopt even met schreeuwen. Ze kijkt op haar horloge en blikt dan naar de ingang van de gymzaal. Ik weet wel op wie ze staat te wachten: ze hoopt dat Leonie nog komt. Leonie is al de hele dag in geen velden of wegen te bekennen. Ze is niet op school geweest en nu is ze ook al niet op de repetitie. Niemand lijkt te weten waar ze is.

'Puck! Niet zulke slappe armpjes. Je weet dat dat een van je vele zwakke punten is,' snauwt Lonneke als ze langs me loopt.

Ik trek me er niet zoveel van aan. Sinds ik weet dat ze zo gepest is tijdens haar middelbareschooltijd bekijk ik haar echt met heel andere ogen. Begrijp me niet verkeerd, ik vind haar nog steeds een akelige heks en ik zou het absoluut niet erg vinden als ze zou verhuizen naar een ander sterrenstelsel, maar ik kan me nu veel beter inleven. Misschien zou ik zelf ook wel zo zijn als ik nu heel erg gepest zou worden.

Het is wel een beetje jammer dat Lonneke ook doorheeft dat haar valse opmerkingen niet zoveel effect meer op me hebben als eerst, want ze wordt nu met de minuut gemener. Ik bedoel, ze was al eng en gemeen, maar nu is ze gewoon ronduit gevaarlijk. Ik vrees echt een beetje voor mijn leven. Telkens als ze langs me loopt snauwt ze iets naar me en net probeerde ze me volgens mij te laten struikelen. Het zou verbeelding kunnen zijn, maar ik durf bijna te zweren dat ze ongemerkt haar been uitstak in de hoop dat ik erover zou vallen. Ik ben tijdens de hele repetitie al zwaar op mijn hoede.

Lonneke gaat voor de dansgroep staan en kijkt bedenkelijk. Dan loopt ze naar de stereo en drukt pontificaal de muziek uit. 'Oké, ik ga jullie nu een vaste plek geven en daar dienen jullie ook tijdens de resterende repetities te gaan staan,' kondigt ze aan.

Ik weet al dat ze me achteraan gaat zetten. Ik heb geen greintje hoop dat ze me een plekje vooraan zal gunnen.

'Eline!' roept Lonneke, 'jij staat hier.'

Met een zelfvoldane uitdrukking op haar gezicht stapt Eline naar voren en neemt haar plaats links vooraan in.

'Leonie komt hier,' zegt Lonneke en ze wijst naar de lege plek in het midden, naast Eline. 'Weet iemand waar Leonie is?' vraagt ze, maar het blijft helemaal stil.

'Björn, dit is jouw plek,' gaat Lonneke verder en ze wijst naar de plek rechts vooraan. Een voor een noemt Lonneke onze namen... en ja hoor, ik sta achteraan, helemaal achteraan in het donkerste, meest onzichtbare en eenzaamste hoekje van het podium. Tijdens de tofste dans van de hele musical kan niemand me zien. Heel fijn.

'Onthou je plek goed, want daar staan jullie ook tijdens de uitvoering!' roept Lonneke en ze loopt weer naar de stereo-installatie. Ze staat net op het punt om de muziek weer te starten, als er een harde klap te horen is.

'Sorry,' roept een klein, zielig stemmetje. 'Kan iemand me misschien even helpen?' Er staat iemand tegen de deuren van de gymzaal te duwen, maar zonder succes.

Sterre en ik rennen tegelijk naar de deuren om ze open

te doen en het bleke gezichtje van Leonie komt tevoorschijn. Haar rechtervoet is in een dik verband gezwachteld en ze steunt op twee krukken.

'Dank je wel.' Ze glimlacht flauwtjes.

Met open mond kijken Sterre en ik hoe ze de gymzaal binnen hinkt.

'Wat is er gebeurd?' krijst Lonneke. Ze krijst het niet bepaald op een bezorgde en meelevende toon, het klinkt boos en verwijtend. Leonie is de ster van de einddans. Leonie is degene die op het allerlaatste moment de show moet stelen met haar flikflak. En nu is ze ook degene die supermank loopt en zich niet zonder krukken kan voortbewegen.

Leonie geeft nog geen antwoord, maar hinkt eerst met moeite naar de lange, houten bank. Voorzichtig laat ze zichzelf op de bank zakken en zet de krukken naast zich neer.

'Wat is er gebeurd?' vraagt Sterre.

'Mijn vader is met de auto over mijn voet heen gereden.'

'Wat?' Ik sta haar nog steeds met open mond aan te kijken.

Björn mengt zich nu ook in gesprek: 'Je maakt een grapje.' Hij is naast Leonie gaan zitten en kijkt vol interesse naar haar dikke, witte voet.

'Echt!' roept Leonie overtuigend. Ze klinkt bijna trots en ik heb het idee dat ze best van alle aandacht geniet.

Inmiddels heeft de hele dansgroep zich om Leonie heen verzameld.

'Ja,' gaat ze verder, 'mijn vader wilde de oprit af rijden en toen reed hij zo over mijn voet heen.'

'Deed het pijn?' vraagt Erwin nieuwsgierig.

Leonie knikt. 'Ontiegelijk veel. Een auto blijkt behoorlijk zwaar te zijn.'

'Ben je naar het ziekenhuis geweest?' vraag ik.

Leonie knikt weer en plukt aan het verband om haar voet. 'Ze hebben een röntgenfoto gemaakt en zo. Mijn voet is niet gebroken, maar wel heel zwaar gekneusd.'

Lonneke baant zich een weg door de kring van mensen heen en komt ook naast Leonie zitten. 'Hoe zit het met de flikflak?' vraagt ze.

Leonie schudt haar hoofd. 'Sorry, maar dat zit er niet meer in. Ik mag allang blij zijn als ik gewoon mee kan dansen. Ik mag mijn enkel twee weken lang niet belasten.'

De teleurstelling druipt van het gezicht van Lonneke af. 'En als we je voet goed inpakken?' vraagt ze. 'Ik wil toch heel graag dat je de flikflak doet.'

Leonie staart Lonneke een beetje verontwaardigd aan. 'Ik zeg toch dat het niet kan?' zegt ze. 'Ik ga mijn voet niet opofferen voor een flikflak!'

Lonneke knikt onwillig en zegt: 'Ik begrijp het,' maar haar ogen verraden dat ze helemaal geen zin heeft om het te begrijpen. 'Nou, doe het dan maar lekker rustig aan,' bromt ze met een chagrijnig hoofd en dan staat ze op en klapt in haar handen. 'Goed, genoeg geluierd en gekletst. Iedereen weer op zijn plaats.'

Ze keert zich nog een keertje naar Leonie toe en zegt met een zuur gezicht: 'Er zit niets anders op dan dat je de komende twee weken op de bank zit.' Ze geeft Leonie niet eens de kans om te reageren en loopt al naar de stereo-installatie.

Direct daarop klinkt de swingende muziek van het laatste liedje weer door de gymzaal en is iedereen in opperste concentratie aan het dansen.

Lonneke gilt weer door de zaal: '*Kick*, draai, *step*, *touch* en *kick*,' maar je kunt aan alles zien dat ze er verschrikkelijk de pest in heeft.

Als de repetitie is afgelopen ploft Sterre naast Leonie neer. 'Heb je pijn?' vraagt ze.

Leonie schudt haar hoofd. 'Nee, nu niet meer, maar vanochtend dacht ik echt dat mijn voet geamputeerd moest worden.'

Sterre kijkt ernstig naar de voet en port met haar vinger in het verband. 'Doet dit zeer?' vraagt ze.

Leonie lacht en schudt haar hoofd. 'Willen jullie me even overeind helpen? Ik kan niet met die dingen omgaan.' Ze wijst naar de twee krukken die naast haar staan.

Sterre en ik gaan allebei aan een kant zitten en Leonie slaat haar armen om onze schouders. 'Een, twee, drie,' tel ik af en we staan alle drie tegelijk op.

Leonie staat te hinken op één been en verliest bijna haar evenwicht. Ze klampt zich aan me vast en samen storten we zowat op de grond.

'Sorry,' zegt ze lachend. 'Ik ben niet gemaakt om me op één been voort te bewegen.'

Ik geef haar de krukken en ze wringt haar armen in de grijze ringen. Nog steeds staat ze niet echt stabiel, maar ze blijft in elk geval overeind staan.

'Nou, ik ren naar buiten, want mijn moeder staat te wachten,' grapt Leonie en in een slakkengangetje hopt ze de gymzaal uit.

Sterre pakt haar flesje water en gooit haar sporttas over haar rug. 'Kom je?'

Ik knik, maar ik ben afgeleid. Lonneke staat te worstelen met de stereo-installatie en ze is alleen. Eline is nergens te bekennen. 'Ga maar vast,' zeg ik tegen Sterre en ik loop richting Lonneke.

'Wat ga je doen? Ben je gek geworden?' sist Sterre.

Maar ik luister niet en in ongeveer drie stappen sta ik recht achter Lonneke.

Een stemmetje in mijn hoofd schreeuwt dat het heel onverstandig is wat ik nu ga doen, maar ik luister er niet naar. Mijn mond opent zich vanzelf, ook al heb ik echt geen idee hoe ik moet beginnen. Misschien heeft mijn moeder wel gelijk en is de beste manier om dingen op te lossen een goed gesprek.

'Lonneke?'

Ze geeft nog een ram op de stereo en draait zich dan om. 'Puck,' zegt ze en ze bekijkt me met een minachtende blik.

Opeens dringt het tot me door wat ik aan het doen ben. Probeer ik een volwassen gesprek te voeren met het onredelijkste en meest chagrijnige schepsel op aarde?

'Eh,' breng ik uit.

Lonneke trekt haar linkerwenkbrauw op. '"Eh?" Ik weet dat je niet zo intelligent bent, maar een hele zin formuleren moet toch nog wel lukken.' Ze zet haar handen in haar zij en kijkt me triomfantelijk aan.

Goed, dit was geen goed plan en ik moet hier weg, dat is duidelijk.

'Laat maar, dit is niet het juiste moment.' Ik wil weglopen.

'Wacht even, Puck,' zegt Lonneke.

Verbaasd kijk ik haar aan. Ze zal toch niet...? Zou ze met we willen praten?

'Jij wilt zeker de plek van Leonie innemen?' vraagt ze. 'Vooraan staan, dat is toch wat je zo graag wilt?'

Ik knik voorzichtig, maar ik ben op mijn hoede. In mijn hoofd begint een alarmbelletje te rinkelen.

'Laat me er even over nadenken,' zegt Lonneke. Ze staart naar het plafond, trekt een moeilijk gezicht, kijkt me dan weer recht in mijn ogen en zegt: 'Nooit. Ik had je allang uit de dansgroep gegooid als het aan mij lag, want ik zie het helemaal niet zitten met jou.'

Ik pers mijn tanden zo hard op elkaar dat ik ze kan horen knarsen en ik bal mijn vuisten.

'Puck,' verzucht Lonneke en ze schudt haar hoofd. 'Geef het op. Je kunt niet van me winnen.'

Er gaan nu ongeveer een miljoen alarmbelletjes af in mijn hoofd en ik weet dat dit hét moment is om hard weg te lopen.

'Ik snap gewoon niet waarom je zo gemeen doet,' flap ik eruit. 'Ik kan er toch ook niks aan doen dat je vroeger werd gepest? Dat hoef je toch niet op mij af te reageren?' Van schrik sla ik een hand voor mijn mond en ik hoop tevergeefs dat ze me niet heeft gehoord.

Lonnekes gezichtsuitdrukking verandert van vals naar ronduit angstaanjagend. Er verschijnen knalrode vlekken in haar nek en ze heeft een soort tic bij haar linkeroog waardoor het lijkt alsof ze in een razend tempo naar me aan het knipogen is. 'Verdwijn!' gilt ze en ze komt dreigend op me af. 'En neem dit van mij aan, Puck de Wildt: je zult nooit, maar dan ook nooit vooraan staan!'

Geschrokken ren ik zo snel als ik kan de gymzaal uit. O, waarom heb ik ook naar mijn moeder geluisterd?

Op de gang moet ik even op adem komen en daarna slof ik naar de kluisjes. Eline staat achteloos tegen haar kluisje aan geleund en is druk bezig met haar mobieltje. Ik probeer zachtjes en onopvallend langs haar te sluipen, maar jammer genoeg merkt ze me meteen op. Ze kijkt me triomfantelijk aan en zwaait met haar telefoon.

'Jesse is toch zo'n schat,' zegt ze met een vals lachje. 'Hij stuurt me elke dag zulke lieve berichtjes.' Het lachje om haar mond wordt groter.

Woest stamp ik langs haar heen en ruk mijn kluisje open. Ik ben het helemaal zat en ik wil wraak. Zoete wraak! Het is van groot belang dat ik nu supersnel met een geniaal plan kom, want anders knap ik uit elkaar van razernij.

14

Opeens durf ik niet meer. Een beetje onzeker kijk ik naar Sterre, die een paar meter verderop staat en zich schrap zet.

'Ik vang je echt!' roept ze en ze zwaait wild met haar armen heen en weer.

Ik twijfel en bijt op mijn lip. Dit is gevaarlijk. Ik zou mijn nek kunnen breken, of mijn rug, en dan moet ik misschien wel voor eeuwig in een rolstoel zitten. Je weet wel, in zo'n rolstoel die ik dan moet besturen met mijn mond via een rietje, omdat de rest van mijn lijf onherstelbaar verlamd is.

'Ik vang je éééhecht!' roept Sterre weer. Ze stroopt haar mouwen op, gaat wijdbeens staan en spant de spieren in haar armen aan. 'Kijk eens wat een joekels!' roept ze en ze wijst naar haar dunne armpjes en haar niet-bestaande spierballen. 'Daar heb ik me wekenlang voor in het zweet gewerkt in de sportschool.' Ze kust eerst haar rechter onzichtbare spierbal en dan haar linker net zo onzichtbare spierbal.

'Jij bent nog nooit van je leven in een sportschool geweest!' roep ik terug.

Sterre wuift mijn opmerking weg. 'Echt wel,' zegt ze. 'Die ene keer toen ik daar ging vragen of ik even naar de wc mocht.'

'Dat telt niet!' roep ik.

'Wel!'

'Niet!'

'Wel!'

'Niehiet!'

'WEL!'

Ik zucht.

'Ik zweer je dat ik je vang!' gilt Sterre weer. 'Wees toch niet zo'n watje. Doe het nou gewoon!'

Ze heeft gelijk, ik moet niet zo'n sukkel zijn. Mijn vader zou zeggen: 'Puck, verstand op nul en gaan.' Nou ja, eigenlijk zou hij dat niet zeggen, want hij zou dit een onverstandig plan vinden. Het is maar goed dat hij niet thuis is.

Ik haal nog een keer diep adem en dan neem ik een harde aanloop. 'Wel echt vangen, hè?' schreeuw ik terwijl ik in volle vaart op Sterre af ren.

Ineens verschijnt er iets van paniek in haar ogen. 'Aaah, nee, straks laat ik je vallen!' krijst ze en ze knijpt haar ogen dicht en steekt haar armen uit.

Van schrik struikel ik over mijn eigen voeten en knal ik vol tegen Sterre aan. Languit storten we neer in het gras.

'Au! Ben je gek geworden? Je doet toch niet je ogen dicht als je iemand moet vangen voor een flikflak? Wil je graag dat ik een pijnlijke dood sterf?' vraag ik boos.

Sterre kijkt me schuldbewust aan. 'Sorry, sorry, ik raakte in paniek.'

Moedeloos rol ik op mijn rug en ik sla dramatisch een hand voor mijn ogen. 'Als jij al in paniek raakt met vangen, moet je nagaan hoe ik me voel,' zeg ik en ik draai mijn hoofd naar Sterre toe.

Ze is naast me op de grond komen liggen en ze kijkt me schuldbewust aan. 'Sorry,' zegt ze weer. 'Misschien moeten we wat kussens op het gras leggen voor de veiligheid?'

Ik concentreer me op de blauwe lucht en de grote witte wolken die langsdrijven. Dan schiet ik opeens in de lach. 'Je doet steeds je ogen dicht. Mijn leven ligt in jouw handen en jij doet gewoon je ogen dicht!'

Sterre schiet nu ook in de lach. 'Sorry,' hinnikt ze nog eens.

Kreunend kom ik overeind. Ik reik Sterre mijn hand om ook haar omhoog te helpen.

'Nog een keer proberen?' vraagt ze. 'Ik zal je nu echt vangen.'

Ik knik en we lopen weer naar onze plaatsen.

Ik ben de flikflak aan het leren. En niet zomaar een flikflak, maar een dubbele flikflak. Ja, als ik dan toch mijn leven riskeer, dan pak ik het liever meteen goed aan. Alhoewel, zo goed gaat het nog niet, want tot nu toe ben ik alleen nog maar een paar keer luid gillend op Sterre af gerend en keihard tegen haar aan geknald. Mijn witte broek zit helemaal onder de groene grasvlekken (ik weet trouwens niet precies waarom ik het een goed idee vond om een witte broek aan te trekken voor deze activiteit). Er is dus nog heel veel werk aan de winkel.

Sterre staat alweer in haar vangpositie, maar de paniek is nog niet van haar gezicht verdwenen. Ik weet bijna honderd procent zeker dat ze me straks weer met gesloten ogen gaat proberen te vangen. 'Ogen open houden!' roep ik streng.

Sterre knikt.

Ik spring een keer op en neer in een poging me te ontspannen en haal diep adem. Deze keer moet het beter gaan, anders verlies ik echt elke flinter zelfvertrouwen. 'Ik kan het, ik kan het, ik kan het,' mompel ik tegen mezelf en dan neem ik weer een aanloop.

'Ik kan het!' roep ik luid gillend, terwijl ik weer op Sterre af ren.

'Aaaaaaaah,' krijst Sterre, maar ze houdt haar ogen open en ze kijkt bozig. Dat is een goed teken, want dat betekent dat ze zich concentreert.

Vlak voordat ik weer tegen haar dreig aan te knallen maak ik een klein huppelsprongetje en zet ik mijn handen op de grond. Mijn benen gooi ik met een gigantische kracht de lucht in en ik voel een hand tegen mijn rug en mijn billen. Ik sta een nanoseconde ondersteboven en al het bloed in mijn lichaam stroomt naar mijn hoofd. Het voelt een beetje alsof ik enorm sta te blozen, maar voor de verandering is dat eens een keer niet zo. Sterre geeft me een zetje in mijn rug en met een vloeiende beweging vallen mijn gestrekte benen door naar de andere kant. Even denk ik dat het gaat lukken, even denk ik dat ik écht een flikflak aan het maken ben, maar dan verlies ik opeens compleet mijn evenwicht. Ik smak tegen de grond en elk molecuultje zuurstof wordt nogal pijnlijk uit mijn lijf geperst. Sterre gilt.

'Puck? Gaat het?' Ze knielt naast me neer.

'Grmbl,' kreun ik. Ik heb het superbenauwd en hap naar adem.

'Grmbl?' Sterre kijkt me bezorgd aan. 'Wat betekent "grmbl"? Wat wil je tegen me zeggen? Je hebt toch geen hersenbeschadiging opgelopen?' Ze zit paniekerig naast me en legt een hand tegen mijn wang. 'Puck, niet doodgaan. Ga je dood? Knipper een keer voor "ja" en twee keer voor "nee". En waag het eens om maar een keer te knipperen.'

Langzaam begint er weer lucht in mijn longen te stromen en met het kleine beetje kracht dat ik heb duw ik Sterre weg. Ik blijf nog even hijgend en piepend op de grond liggen en sluit mijn ogen. Het leek zo'n goed idee om de flikflak te leren, maar daar begin ik nu toch ietsiepietsie aan te twijfelen. Mijn ademhaling begint zich langzaam maar zeker een beetje te herstellen en kreunend kom ik half overeind. 'Auhaauw. Ik ga dood,' kreun ik.

'Ik ga wel even een glaasje water voor je halen.' Sterre springt op. 'En niet doodgaan als ik weg ben, want dan word ik echt heel kwaad.'

Ik knik braaf en durf er bijna niet aan te denken dat ik dit straks nog een keer moet proberen. En dan nog een keer. En nog een keer. Heel eventjes speel ik met het idee om op te geven, maar druk die gedachte dan vastbesloten weer weg. Nu niet opgeven; dit is de perfecte manier om Lonneke betaald te zetten voor wat ze me de afgelopen maanden heeft aangedaan.

De schuurdeur wordt met een knal dichtgegooid en ik zie Sterre met een glas water in haar handen op me af komen. 'Hier.' Ze reikt me een glas water aan. 'O, en je moeder wil weten of je je scheikundeproefwerk al hebt geleerd.'

Ik kijk haar verbouwereerd aan. 'Wat? Ik zweef op het randje van de dood en zij wil weten of ik mijn proefwerk al heb geleerd?'

Sterre knikt en haalt haar schouders op.

Hoofdschuddend pak ik het glas van haar aan en gulzig drink ik het helemaal leeg.

'Ik durf niet meer,' biecht ik op.

Sterre komt naast me zitten en legt haar hoofd op mijn schouders. 'Kom op, Puck. Als Leonie de flikflak kan, dan kan jij hem ook.'

'Ja,' verzucht ik, maar ik geloof er niks van.

Sterre probeert me op te vrolijken en aait me over

mijn haar. 'Ik vind het nog steeds je beste actie ooit en ik laat jou niet opgeven,' zegt ze streng.

Ik moet toegeven, het is ook wel heel goed bedacht. Ik ga namelijk de plaats van Leonie tijdens de einddans van *Wonderland* overnemen. Dan sta ik én vooraan én ik doe de flikflak. O ja, en Lonneke weet dit dus allemaal niet. Ik heb al met Leonie overlegd en zij vond het prima om met mij van plek te wisselen. Haar gekneusde voet doet op het moment zoveel pijn dat ze niet kan repeteren (laat staan de flikflak doen) en ze wil liever ook niet meer vooraan staan. 'Bovendien vind ik dat Lonneke jou helemaal niet eerlijk behandelt,' voegde ze eraan toe.

Behalve Sterre en Leonie weet nog helemaal niemand van mijn plan en dat wil ik graag zo houden. Op dit moment ziet het er een beetje naar uit dat mijn hele plan in het water gaat vallen, omdat ik straks dus waarschijn- lijk dood ben voordat ik de flikflak heb geleerd.

Sterre springt weer op en wrijft enthousiast in haar handen. 'Zo!' roept ze. 'Daar gaan we weer.'

Kreunend sta ik op en ik wrijf moeizaam over mijn pijnlijke rug. De deur van de schuur valt weer met een knal dicht en geïrriteerd kijk ik op.

'Hé, stelletje amateurs!' roept Niels en hij stuitert met zijn voetbal op de stoep.

Ik rol met mijn ogen. Net wat ik nodig heb: mijn hyper- vervelende broer die nog even onzin komt uitkramen.

Maar Sterre denkt er duidelijk anders over. 'Niels!' roept ze enthousiast. 'Kom eens. Je moet ons helpen.'

Ik geef Sterre een stomp tegen haar schouder. 'Wat doe je nu? Ik wil hem er helemaal niet bij hebben.'

Sterre negeert me. 'Trek je maar niks aan van je kleine zusje, ze wil gewoon niet toegeven dat we je echt heel hard nodig hebben,' zegt ze.

Met tegenzin laat Niels zijn voetbal op de grond stuiteren. Hij stapt het gras op. In een slakkentempo komt hij naar ons toe lopen. 'Wat?' vraagt hij op een ongeïnteresseerd toontje.

'Puck wil de flikflak leren,' legt Sterre uit, 'en we hebben je hulp nodig, want anders gaat ze dood.'

Niels kijkt haar niet-begrijpend aan. 'Hulp waarmee?'

'Met vangen! We hebben een grote, sterke kerel nodig die ervoor zorgt dat Puck niet op haar hoofd knalt en in duizend stukjes uit elkaar spat.'

Niels is duidelijk gevoelig voor Sterres geslijm, want hij glimlacht gevleid als ze de woorden 'groot' en 'sterk' uitspreekt.

'Waarom de flikflak?' vraagt hij.

Ondanks mijn luidruchtige protest legt Sterre hem toch mijn plan uit en als ze is uitgepraat kijkt hij me vol bewondering aan. *Wacht even... Vol bewondering?* Mijn broer heeft me nog nooit eerder vol bewondering aangekeken. Wel vol afschuw en vol minachting. En ook heel vaak op een 'och, Puck, wat ben je toch naïef'-manier, maar nog nooit eerder vol bewondering. Zijn blik doet me goed.

'Wauw, Puck. Dat is cool,' zegt Niels trots. 'We zullen Lonneke haar gedrag eens even betaald zetten!'

Zei hij nou dat 'we' het haar betaald gaan zetten? Het moet niet gekker worden!

Niels trekt zijn vest uit en springt op en neer alsof hij zijn spieren even moet opwarmen voor zijn nieuwe, belangrijke taak. 'Oké. *Let's do it!*,' roept hij en hij loopt samen met Sterre een paar meter bij me vandaan. 'Kom op, zusje. Niet bang zijn, ik vang je wel,' roept hij als hij ziet dat ik sta te aarzelen.

Ik vind het echt zo'n surrealistisch moment dat ik even niet weet wat ik moet doen. Zou dit een droom zijn? Nou ja, als het een droom is kan er in elk geval niets gebeuren. In het ergste geval word ik wakker naast mijn bed. Sterre en Niels staan allebei in hun vangposities en kijken me afwachtend aan. Ik haal diep adem en concentreer me. Goed, daar gaan we dan...

Dierbare productbedenkers van Ultrawhite Wasmiddel,

Ik heb een klacht. Mijn witte broek zit helemaal onder de groene grasvlekken. Nu weet ik natuurlijk ook wel dat dit mijn eigen schuld is, dat hoeven jullie mij niet te vertellen (dat heeft mijn moeder al gedaan; ze ging echt helemaal uit haar dak en ik moest voor straf drie uur lang zilver poetsen), maar dat is ook niet de klacht. Nee, ik ben ernstig teleurgesteld in jullie wasmiddel.

Laat ik maar even bij het begin beginnen. Ik was druk bezig om met mijn soulmate Sterre de flikflak te oefenen op het grasveld en het ging superslecht (waarom ik dan precies de flikflak moest oefenen is een heel lang verhaal en als jullie het willen weten, dan moeten jullie me maar even bellen). Maar goed, ik knalde de hele tijd tegen haar aan en we vielen zeker duizend keer op de grond. Ik had per ongeluk mijn witte broek aangetrokken en die zat al na drie minuten helemaal onder de groene vlekken. Eigenlijk kon je niet echt meer spreken van een witte broek met groene vlekken, maar eerder van een groene broek met af en toe nog een vlekje wit. Toch maakte ik me geen zorgen, want mijn moeder heeft altijd een familiepak Ultrawhite Was- middel bij de wasmachine staan. Zij heeft namelijk een onwankelbaar vertrouwen in jullie, want jullie product heeft tot nu toe altijd nog de meest dramatische vlekken uit mijn kleren kunnen wassen.

Maar ik ben van een koude kermis thuisgekomen. Vanmiddag haalde ik mijn broek uit de wasmachine en hij was nog even groen als daarvoor. Ik kon mijn ogen niet geloven. Voor de zekerheid heb ik nog even aan mijn moeder gevraagd of ze wel het goede wasmiddel had gebruikt en ze verzekerde me dat er Ultrawhite Wasmiddel in het bakje had gezeten.

Daarna heb ik zelf mijn broek nog eens gewassen en er extra veel wasmiddel bij gegooid, maar het leek wel alsof hij alleen maar groener werd.

Het is niet zo heel erg, hoor, want ik vind groen ook best een mooie kleur. Gelukkig heb ik genoeg shirtjes die er goed bij zullen staan. Maar ja, daar gaat het niet om. Het gaat om een beschadigd vertrouwen in jullie wasmiddel. Als ik niet meer op jullie kan bouwen, op wie dan nog wel? Alles in deze grote wereld lijkt nu onzeker.

Ik stuur trouwens een klein beetje waspoeder mee, zodat jullie het kunnen controleren. Misschien zit er een fabrieksfout in het wasmiddel in ons familiepak. Ik denk dat het geheime witmaakingrediënt in deze verpakking ontbreekt. Het liefst zou ik ook mijn broek meesturen, zodat jullie daar ook onderzoek op kunnen verrichten, maar de mevrouw van het postkantoor wilde me daar 15 euro voor laten betalen en zoveel geld heb ik niet.

Ik wens jullie veel succes met het onderzoek en hoop

op een schriftelijk rapport binnen drie weken. Graag lees ik daarin over het resultaat en een oplossing voor mijn broek.

Alvast bedankt.

Met hoogachtende groetjes,
Puck de Wildt

15

'Ik wil graag stilte tijdens de doorloop van *Wonderland*!'
roept meneer Van Vlimmeren door de grote ruimte. Hij
staat op het podium enthousiast aanwijzingen te geven
en kijkt zo nu en dan reuze tevreden de aula rond. De
aula is gevuld met mensen in de wonderlijkste kostuums. Ik zit al meer dan een uur met open mond om
me heen te kijken. De afgelopen maanden heb ik natuurlijk wel veel voor de musical geoefend met de dansgroep, maar ik heb nog nooit alle acteurs en medewerkers
van *Wonderland* bij elkaar gezien. Renske Zonnebloem
speelt Alice en ze is gekleed in een lichtblauwe pofjurk
met een wit schort. Verder heeft ze een blonde pruik op
haar hoofd met twee superlange vlechten. Ze is al een
halfuur lang haar pruik aan het aaien en roept om de
zes seconden: 'Ik wou dat dit mijn echte haar was!' De
gekke hoedenmaker wordt gespeeld door een jongen die
ik niet ken. Hij heeft een fantastisch knalgroene hoge
hoed van zeker een meter hoog en in zijn donkerrode
jasje ziet hij er superwijs uit. Zijn outfit wordt afge-
maakt met een paar hoog opgetrokken blauw met geel
gestreepte kniekousen. De rol van de gemene Rode
Koningin wordt gespeeld door een meisje uit de brug-
klas. Ze heeft een rode jurk aan waar ze bijna in ver-

drinkt, de mouwen zijn veel te lang en bij elke stap die ze zet struikelt ze. Ik heb haar een keer horen zingen tijdens een van de zangrepetities en ze heeft echt een engelenstemmetje. Hoe beter ik om me heen kijk, hoe meer figuren ik uit *Alice in Wonderland* herken. Stuk voor stuk hebben ze fantastische en kleurrijke kostuums aan met bijpassende accessoires. Er is zelfs een jongen bij die een enorme indianentooi met alle kleuren van de regenboog op zijn hoofd draagt. Alleen de dansgroep valt er op dit moment totaal buiten. We zijn namelijk allemaal gehuld in grote, vormeloze geelgroene lappen stof. Een beetje beteuterd kijk ik naar het geelgroenige ding dat ik aanheb. We hebben voor elke dans een andere outfit en Lonneke vond dit spuuglelijke gewaad wel geschikt voor de derde dans, de dans met het witte konijn. Ze heeft mij natuurlijk ook nog eens het gewaad gegeven met drie grote gaten erin, dus je snapt dat ik me supersexy voel. Sterre en ik hebben geprobeerd om van de vormloze stof toch nog iets grappigs te maken door een ceintuur om ons middel te knopen. Nou, het was een leuk idee, maar het helpt niks. In plaats van een vormeloze lap stof hebben we nu een vormeloze lap stof mét ceintuur om ons lijf heen hangen.

Sterre ligt lamlendig in de stoel naast me. 'Wat is zo'n doorloop saai,' klaagt ze. En ik moet toegeven dat ze voor honderd miljoen procent gelijk heeft. We zitten hier nu al ruim een uur en het enige wat we doen is wachten en af en toe stilstaan op het podium.

Meneer Van Vlimmeren wil van elke scène elk minuscuul detailtje weten en dat is echt heel, heel, heel verschrikkelijk vermoeiend. 'Wil de dansgroep hier komen voor de scène met het witte konijn?' roept meneer Van Vlimmeren. Kreunend en gapend kruipen alle dansers van hun stoel en klimmen het podium op. 'Trekken jullie dat aan tijdens deze dans?' vraagt meneer Van Vlimmeren op een afkeurend toontje en hij bekijkt onze outfits van top tot teen. We knikken allemaal. 'Hm,' bromt onze biologieleraar en hij maakt een aantekening. Dan schraapt hij luidruchtig zijn keel en staart ons heel even aan. 'Goed,' begint hij, 'luister zorgvuldig naar wat ik nu ga zeggen, want dit is belangrijk.' Hij wijst met zijn pen in de richting van de coulissen. 'Het witte konijn komt vanaf deze kant het podium op lopen...' Vol verwachting kijken we naar de plek waar meneer Van Vlimmeren naar wijst, maar er gebeurt niks. Meneer Van Vlimmeren schraapt zijn keel nog eens en zegt dan weer: 'Het witte konijn komt vanaf deze kant het podium op lopen...' Plotseling stapt er vanuit de coulissen een slome, dikke jongen met twee grote konijnenoren op zijn hoofd het podium op. 'Iets meer enthousiasme, Karel,' spoort meneer Van Vlimmeren de jongen aan. Maar Karel heeft er duidelijk geen zin in en blijft onverschillig staan. Meneer Van Vlimmeren zucht en keert Karel de rug toe. 'Goed, het witte konijn komt dus van die kant en de dansgroep staat daar.' Hij rent in een grote cirkel op het podium om aan te geven waar onze plek is. 'Kunnen jullie even je posities innemen, alsjeblieft?' Ik til mijn gewaad op zodat ik er niet over struikel en sjok braaf naar mijn plaats ver, ver, ver achterin.

'Goed zo, goed zo,' mompelt meneer Van Vlimmeren terwijl hij ons een voor een bekijkt en hij staart peinzend naar zijn aantekeningen en dan naar het decor. 'Jesse, kun je even hier komen, jongen?' roept hij. Jesse? Mijn hart slaat opeens een miljoen slagen over als ik zijn naam hoor en ik moet mezelf even streng toespreken. Dit slaat nergens op. Ik heb Jesse al weken niet meer gesproken, waarom zou ik nog van slag raken? Mijn verlangen naar Jesse is weg en bestaat niet meer. Mijn verlangen naar Jesse is absoluut, geheel, volstrekt, totaal, volkomen verdwenen. Echt! Ik ben de nieuwe Puck en de nieuwe Puck laat zich het hoofd niet op hol jagen door ongelooflijk mooie jongens. Jesse stapt het podium op en komt naast meneer Van Vlimmeren staan. Eline staat vooraan in het midden en begint onmiddellijk wild naar hem te gebaren. Jesse negeert haar een beetje, pakt het schrijfblok met aantekeningen van meneer Van Vlimmeren aan en begint hem iets uit te leggen over het decor. Zie je wel, het doet me helemaal niets dat hij daar enorm sexy allemaal dingen staat uit te leggen. De oude Puck zou nu in zwijm zijn gevallen, maar de nieuwe

Puck niet. De nieuwe Puck is sterk en onafhankelijk en weet dat ze wel iets beters verdient dan Jesse.

'Puck!' sist Sterre naar me. 'Je zit hem een beetje eng en intens aan te staren.'

Ik knipper even met mijn ogen. 'Wat? Niet!' sis ik boos terug. 'Bemoei je er niet mee.'

Sterre grinnikt en maakt van haar handen een hartje.

'Doe niet zo kinderachtig,' grom ik.

Meneer Van Vlimmeren kijkt verstoord op van zijn schrijfblok. 'Wat is er aan de hand, Puck?' vraagt hij en opeens zijn er twaalf paar ogen op me gericht, inclusief de ogen van Jesse. 'Eh...' stotter ik, 'eh, nee, niks.' Eline heeft zich ook naar me omgedraaid en kijkt me smalend aan, maar dat kan me niks schelen. Het enige wat ik zie zijn de mooie, vriendelijke ogen van Jesse. Hij geeft me een subtiele knipoog en leidt dan de aandacht van mij af door meneer Van Vlimmeren nog een vraag te stellen. Ik haal opgelucht adem en kan een glimlach niet onderdrukken. Gelukkig, al die tijd die Jesse met Eline heeft doorgebracht heeft hem in elk geval nog niet veranderd in een monster.

Drie minuten later worden we door meneer Van Vlimmeren vriendelijk bedankt voor onze medewerking. De acteurs voor de volgende scène klimmen het toneel alweer op en wij worden vriendelijk verzocht het podium te verlaten. Eline vliegt onmiddellijk op Jesse af en hangt alweer aan zijn arm. Ik probeer er niet te veel aandacht aan te schenken, dus ik sla mijn ogen neer en spring van het podium af. Eindelijk mag ik die rare geelgroenige lap uitdoen en een leuk kostuum aantrekken voor de volgende scène. Ik pak de enorme weekendtas die naast mijn stoel staat en rits hem open. Er zitten zes geweldige outfits in.

'Welke scène komt er nu?' vraagt Sterre.

'De dans met het theepartijtje,' antwoord ik, 'met de bolhoeden en de stoelen.'

Sterre klapt enthousiast in haar handen. 'De leukste outfit!' roept ze en ze vliegt naar haar tas om zich om te kleden.

Ik haal een zwarte pantalon uit mijn weekendtas en een beetje onhandig trek ik hem aan. Verder hoort er nog een witte blouse bij, een zwart strikje voor om mijn nek, zwarte balletschoentjes en natuurlijk de bolhoed. Verwoed zoek ik in mijn weekendtas naar de bolhoed, maar die is nergens te bekennen. 'Ik ben mijn bolhoed kwijt!' gil ik in paniek.

Sterre, die staat te worstelen met het strikje dat om haar nek moet, schudt haar hoofd. 'Nee, die heb je eergisteren na de repetitie in je kluisje gelegd, weet je nog? Dat vond je handig.'

O ja, dat is ook zo. Dat vond ik handig.

Samen lopen we naar de kluisjes, want we hebben toch niets anders te doen dan wachten. Ik open mijn kluisje en gelukkig ligt daar mijn bolhoed in al zijn volle glorie. Ik zet hem op mijn hoofd, trek het strikje om mijn nek recht en kijk in het spiegeltje dat ik ooit eens aan de binnenkant van mijn kluisdeurtje heb geplakt. Wauw, dit ziet er echt gelikt uit. Ik maak een pirouette en werp Sterre een luchtkusje toe. Sterre staat nog steeds te knoeien met haar strikje. 'Het lukt niet,' kreunt ze en ze kijkt me met een zielig gezicht aan.

Ik pak het strikje vast en probeer de tiendubbele knoop die ze erin heeft gelegd er weer uit te halen. 'Hoe heb je dit gedaan?' roep ik verbaasd uit.

'Ik weet het niet,' bromt Sterre. Ik trek en pluk aan het strikje, maar er is echt geen beweging in te krijgen. 'Au, je keelt me!' moppert Sterre en ze duwt mijn handen weg.

'Waarom leg je er dan ook zo'n onmogelijke knoop in,' mopper ik terug.

'Ik doe het zelf wel.' Sterre zit alweer aan het strikje te frunniken en legt er per ongeluk nog een extra knoop in.

'Je maakt het alleen maar erger!' roep ik verontwaardigd en ik grijp de strik weer vast. 'Misschien moet je hem eraf knippen?' Ik buig me naar de strik toe en probeer uit te vogelen hoe deze knoop der knopen in elkaar zit.

'Is dat Jesse?' vraagt Sterre opeens.

Ik schrik me dood. 'Wat?' Met een enorme vaart kom

ik omhoog en stoot keihard mijn hoofd tegen mijn kluisdeurtje. 'Au!' roep ik. Ik wrijf over mijn pijnlijke hoofd en kijk in de richting waar Sterre naar wijst. Het is inderdaad Jesse. Hij komt uit de aula en dankzij mijn kreet heeft hij ons ook allang gehoord.

'Hij komt eraan!' sist Sterre opgewonden en ze knijpt in mijn hand. En dan staat Jesse opeens vlak voor me.

'Hé Puck,' zegt hij vriendelijk.

Ik probeer hem niet te laten merken dat mijn knieën spontaan van pudding zijn en dat ik er elk moment doorheen kan zakken.

'Hoi,' zeg ik nonchalant. Tenminste, dat is de bedoeling, maar in plaats van een rustige en nonchalante stem komt er een hoog piepgeluidje uit mijn mond. Ik schraap mijn keel en probeer het nog eens. 'Hoi,' piep ik weer. Ik leg een hand op mijn keel en kijk Jesse zielig aan. 'Sorry, ik heb last van mijn keel,' fluister ik. Sterre grinnikt en doet dan net of ze haar keel moet schrapen. Ik weet ook wel dat mijn smoesje niet geloofwaardig is, maar ik heb absoluut geen zin om toe te geven dat ik nog steeds bloednerveus word als hij in mijn buurt staat. 'Dit is Sterre, trouwens.' Ik doe een stapje opzij en duw Sterre naar voren.

'Hai,' zegt Sterre, terwijl ze een diepe buiging maakt en haar bolhoed voor hem afneemt.

'Hoi Sterre,' zegt Jesse grinnikend. Hij maakt ook een buiging en richt zich dan weer tot mij. 'Hoe is het met je?' vraagt hij, 'het is lang geleden dat ik je voor het laatst heb gesproken.'

Ik knik. Die middag dat hij me zijn kunstwerken voor het decor liet zien is inderdaad al weken geleden. 'Ik weet het...' zeg ik, 'jammer dat ik je niet meer heb gezien.'

Jesse glimlacht. 'Ik heb jou nog wel een paar keer gezien,' zegt hij, 'maar je dook telkens onder een tafel.'

Achter me hoor ik Sterre weer proesten en ik krijg een kleur als ik denk aan alle keren dat ik Jesse probeerde te ontwijken. 'Ja,' mompel ik, 'dat doe ik soms.' Even is het stil en kijken we elkaar aan. Ik snap niet zo goed wat hij nu wil. Hij is toch met Eline? Hij sms't haar voortdurend tijdens de lessen en in de pauze hangt ze aan zijn arm. Eline kan over niks anders meer praten.

'Puck...' begint Jesse en ik zie aan zijn gezicht dat hij iets serieus wil zeggen. Ik kijk hem verwachtingsvol aan.

'O, daar ben je!' Ineens duikt Eline op uit het niets en ze stort zich bijna op Jesse. Haar stem gaat echt door al mijn merg en al mijn been. Ik heb nog nooit een grotere hekel aan haar gehad dan op dit moment. Eline kroelt Jesse door zijn haar en zegt tegen mij: 'Wat is het toch een lekker ding, hè?' Ze wacht niet eens op mijn reactie en trekt aan zijn arm. 'Kom,' zegt ze, 'Van Vlimmeren wil je spreken over het decor.'

'Ik ben eigenlijk even met Puck aan het praten,' protesteert Jesse en hij trekt zijn arm los.

Eline knijpt haar ogen tot spleetjes en ik zie aan haar

dat ze niet van plan is om zomaar weg te gaan. 'Er is haast bij,' zegt ze poeslief tegen Jesse, terwijl ze mij met haar allergemeenste blik aankijkt.

Jesse zucht. 'Oké,' geeft hij toe. 'We kunnen ons gesprek ook wel later afmaken, toch Puck?'

Ik knik en probeer mijn teleurstelling een beetje weg te slikken. Jesse loopt in de richting van de aula en Eline volgt hem op een klein afstandje.

Sterre slaat haar armen om me heen en samen kijken we ze na. 'Ik vind dat je voor hem moet vechten, Puck,' zegt Sterre ernstig. 'Je moet hem bevrijden uit de enge klauwen van Eline. Je kunt die arme jongen toch niet zomaar aan zijn lot overlaten? Dat zou gewoon misdadig zijn.'

16

Een beetje nerveus staan we weer voor de deur van de Reusjes. De uitnodigingen in mijn hand houd ik krampachtig vast. 'Bel jij aan?'

Sterre knikt en reikt naar de deurbel. Ze heeft haar grote weekendtas tussen haar benen gezet. Binnen in de gang is het bekende *bimmm bammm* luid en duidelijk te horen. Ik kijk naar de twee uitnodigingen die ik zo angstvallig vasthoud. *Wij nodigen u van harte uit om te komen kijken naar de musical* Wonderland staat erop. Overmorgen is de uitvoering en mijn hart gaat wild tekeer als ik er alleen al aan denk. Overmorgen is dus ook de dag dat ik mijn gewaagde plan ten uitvoer ga brengen en daar gaat mijn hart spontaan nog sneller van kloppen. Ik kan nu niet meer terugkrabbelen. Ik heb de afgelopen weken niet voor niets samen met Niels en Sterre als een debiel geoefend op de flikflak. Ik heb me echt uit de naad gewerkt en gisteren was het moment dan eindelijk aangebroken dat ik hem helemaal zelfstandig kon maken. Echt waar. Ik, Puck de Wildt, kan helemaal zelfstandig een flikflak maken. Een dubbele flikflak zelfs! Ik voel me de hele dag al onoverwinnelijk, onverslaanbaar en strijdvaardig. En superzenuwachtig, dat ook.

'Daar komt-ie,' fluistert Sterre. Aan de andere kant van de deur is het vertrouwde geschuifel van pantoffels te horen. Iemand morrelt aan het slot en de voordeur gaat voorzichtig open.

Het vermoeide gezicht van de Reus licht op als hij ons ziet. 'Sterre. Puck,' zegt hij glimlachend, 'wat leuk dat jullie er weer zijn! Kom binnen.'

Ik weet nu wat ik kan verwachten, dus ik houd alvast een hand voor mijn gezicht zodat ik de superdode fazanten op de kast niet hoef te zien. De Reus merkt het op en lacht. 'Mijn vrouw weigert ook altijd om naar die opgezette beesten te kijken.' De gang is nog net zo donker en naargeestig als de vorige keer, maar gelukkig ziet de keuken er nu een stuk vriendelijker uit. Er staan bloeiende bloemen op de keukentafel en de gordijnen zijn open. De stapel afwas op het aanrecht is ook weggewerkt. Heel stilletjes koester ik de hoop dat het beter gaat met mevrouw Reuzer en dat zij degene is die gezorgd heeft voor de verbetering in de keuken. De Reus loopt meteen door naar het kamertje van zijn vrouw en klopt zachtjes op de deur. Een bibberig stemmetje geeft antwoord: 'Ja?'

De Reus opent de deur en gebaart dat we heel even moeten wachten. 'Engeltje?' vraagt hij, terwijl hij de kamer van zijn vrouw binnensluipt. 'Puck en Sterre zijn er.'

Ik hoor dat mevrouw Reuzer haar man antwoord

geeft, maar het klinkt zo zachtjes dat ik niet kan horen wat ze zegt. Tweeënhalve seconde later houdt de Reus de deur voor ons open en gebaart dat we welkom zijn.

In tegenstelling tot de laatste keer dat we hier waren is de kamer nu erg donker. De gordijnen zijn dicht en er schijnt een piepklein straaltje zonlicht door een kiertje naar binnen. Het straaltje zonlicht valt precies op het ingevallen gezicht van mevrouw Reuzer en mijn hoop dat het beter met haar gaat is meteen foetsie. Ze glimlacht. Ik voel me nog duizend keer ongemakkelijker dan de vorige keer en dat komt omdat mevrouw Reuzer er ongeveer uitziet als een zombie. Ze is helemaal bleek en haar ogen zijn rood, alsof ze al nachtenlang niet heeft geslapen. Haar flink uitgedunde haar hangt slap langs haar ingevallen wangen. 'Dag, dames,' zegt ze. Haar stem klinkt ruw en schor. Ze trekt een pijnlijk gezicht als ze haar keel probeert te schrapen. 'Hoe is het met jullie?'

Sterre en ik schuifelen naar haar bed.

'Goed,' fluister ik en ik sla mijn ogen neer. Ik fluister, want ik heb het gevoel dat mevrouw Reuzer in honderdduizend kleine stukjes uit elkaar gaat vallen als ik op een normaal volume praat.

Mevrouw Reuzer knikt. 'Goed zo.' Ze likt over haar droge lippen. Intussen is de Reus naar het raam gelopen en schuift de gordijnen open. In het daglicht ziet mevrouw Reuzer er nog veel en veel zieker uit, alsof ze elk moment zomaar in tweeën kan breken. 'Hoe gaat het met de voorbereidingen van de musical?'

Sterre zet haar sporttas naast zich neer en begint ook te fluisteren. 'Ook goed. We hebben weken en weken geoefend.'

Mevrouw Reuzer knikt goedkeurend. Een zwak glimlachje speelt rond haar gebarsten lippen. 'Ik heb zo'n dorst,' zegt ze met een krassende stem. In een halve seconde is de Reus al bij haar en zet een glas water aan haar mond. Ze drinkt gulzig.

'En waaraan hebben we jullie bezoek te danken?' vraagt hij, terwijl zijn vrouw drinkt.

'We komen jullie namens de school uitnodigen voor de première van *Wonderland*,' zeg ik gewichtig. Ik overhandig de Reus de twee uitnodigingen en maak een soort buiginkje.

De Reus lacht zwakjes en pakt ze met zijn vrije hand van me aan. 'Dat is heel lief van jullie, maar...' zegt hij, terwijl hij een bezorgde blik werpt op zijn ielige vrouwtje, '... mijn vrouw is daar veel te zwak voor.'

Mevrouw Reuzer duwt het glas van zich af. 'Normaal ben ik het nooit met hem eens,' zegt ze zachtjes, 'maar ik vrees dat hij voor deze ene keer gelijk heeft.'

Sterre en ik knikken begrijpend.

We hadden natuurlijk ook niet verwacht dat ze echt zouden komen. Zelfs als ze in haar ziekenhuisbed de aula in gereden wordt, dan zou het mevrouw Reuzer nog te veel zijn. 'Daar hebben we rekening mee gehouden,' zeg ik geheimzinnig en ik kijk naar Sterre.

Ze heeft haar sporttas al opengeritst en haalt er een klein, superschattig draagbaar stereootje uit. 'Tadaaaa.'

De Reus kijkt me niet-begrijpend aan? 'Tada?'

Sterre duikt nog eens in haar sporttas en haalt er nu twee bolhoeden uit. Triomfantelijk kijkt ze de Reus en zijn vrouw aan. 'Tadaaaaa!' roepen we nu tegelijk.

Nog steeds staren de Reus en zijn vrouw ons aan alsof we spontaan helemaal gek zijn geworden. 'We komen jullie een minithuisvoorstelling geven,' leg ik uit.

Het gezicht van mevrouw Reuzer licht helemaal op. Over haar zieke, uitgemergelde, ingevallen gezichtje verschijnt een soort lichte gloed. 'O, meiden toch...' verzucht ze gelukzalig.

Meneer Reuzer heeft zijn bedenkingen, dat zie ik aan zijn denkrimpels, die ineens heel diep zijn geworden. 'Ik weet het niet...' zegt hij, maar Sterre is allang met de stereo naar een stopcontact gelopen en duwt de stekker erin.

'We hebben wel twee stoelen nodig en we moeten duidelijk wat dingen aan de kant duwen,' zeg ik. De Reus en zijn vrouw hebben zoveel meubels in de kamer staan dat het best wel een opgave is om genoeg ruimte te creëren voor onze bolhoedstoelendans.

Mevrouw Reuzer denkt meteen met ons mee. 'Je kunt die stoelen wel gebruiken,' wijst ze.

De Reus doet een stap naar ons toe en roept: 'Ho eens even...' Even denk ik dat hij ons gaat tegenhouden, omdat hij bang is dat alle opwinding zijn vrouw zal breken. Maar als hij haar verrukte gezicht ziet bedenkt hij zich. 'Dat kastje kan wel daarheen en de bank kunnen we kantelen,' zegt hij dan. Met zijn drieën verplaatsen we zoveel mogelijk meubels naar de zijkant. Het bed van mevrouw Reuzer duwen we nog een stukje naar achteren en opeens is de naargeestige ziekenhuiskamer veranderd in een danszaal.

We pakken allebei een stoel en installeren ons in het midden van de kamer. 'Meneer Reuzer, de eer is aan u,' zeg ik ernstig en ik wijs naar het stereootje.

De Reus neemt zijn taak serieus en roept: 'Klaar? Af!' en drukt op PLAY. De muziek begint te spelen en Sterre en ik staan klaar om te dansen. Het is heel belangrijk dat we dit goed doen, want dit is het enige wat mevrouw Reuzer te zien zal krijgen van *Wonderland*. Dit is misschien wel haar laatste voorstelling ooit!

Tegelijkertijd stappen we op onze stoel. Ik werk harder dan tijdens alle repetities bij elkaar. Sterre kijkt geconcentreerd en ik weet dat zij ook haar uiterste best doet. Mevrouw Reuzer ligt glunderend in bed. De Reus ligt naast haar. Hij heeft niet veel aandacht voor ons, maar zit met tranen in zijn ogen te staren naar zijn zielsgelukkige vrouw. Ik kijk er maar niet naar en probeer me te concentreren op de dans, want anders barst ik zelf ook in janken uit. Dan sta ik jankend te dansen en dat is natuurlijk geen gezicht. Onze stoelendans is heel snel alweer voorbij en mevrouw Reuzer klapt zo hard als ze kan. En ook al is haar applaus nauwelijks te horen, je kunt wel zien dat ze enorm geniet.

'Nog een?' Sterre kijkt me vragend aan en ik kijk op mijn beurt weer vragend naar de Reus. Hij kan duidelijk geen genoeg krijgen van het stralende vrouwtje naast hem en knikt. Sterre en ik zwieren door de kamer en uiteindelijk dansen we alle zeven dansroutines uit *Wonderland*. Sterre stoot een beeldje van een kastje en het valt in duizend stukjes. Ik stoot mijn teen zo hard tegen een tafel dat ik er een beetje misselijk van word. Maar het maakt allemaal niet uit, het is het allemaal waard, want mevrouw Reuzer is gelukkig.

Als we aan het eind zijn gekomen van de laatste dans maken we een diepe buiging. Mevrouw Reuzer is nu zo moe dat ze ons geen applaus meer kan geven. 'Dat was geweldig meiden,' verzucht ze gelukzalig.

Ik kan zien dat ze moe is en pijn heeft. Haar opwinding heeft zijn tol geëist.

'Ik denk dat het tijd wordt dat jullie gaan,' zegt de Reus. We knikken en pakken onze spullen in.

Voordat we de kamer uit lopen, gaan we nog even rond het bed van mevrouw Reuzer staan. Ze pakt mijn hand en dan Sterres hand en kijkt ons bloedserieus aan. 'Jullie zijn twee geweldige meiden,' fluistert ze, 'door en door geweldig.' Ze trekt onze handen naar zich toe en we vallen bijna over het bed heen. 'Laat je nooit door iemand vertellen dat je niet geweldig bent.' Ze kijkt me zo doordringend aan dat ik er kippenvel van krijg. 'Jullie moeten niet veranderen, hoor. Beloven jullie dat?' We knikken heftig, en dan laat mevrouw Reuzer onze handen los en ze sluit haar ogen. 'Bedankt, meiden,' mompelt ze nog.

Als ik in de deuropening sta kijk ik nog heel even naar het hoopje mens dat in bed ligt. Het hoopje mens dat ooit mijn stevige, blozende, strenge lerares Engels was, de vrouw die altijd met zulke ferme stappen door de school liep dat je haar aan de andere kant van de wereld kon horen. Ik trek de deur achter me dicht en ik moet even een brok wegslikken. Zal ik haar ooit nog zien of was dit de allerlaatste keer?

17

Met een scheef gezicht kijk ik naar mezelf in de spiegel. 'Tja...' begin ik, terwijl ik bedenk hoe ik zo subtiel mogelijk kan zeggen wat ik ervan vind. 'Apart.' Ik zie er niet uit. Zelfs met een heleboel fantasie kun je niet zeggen dat dit mooi is. Mijn lippen zijn knalrood, mijn wenkbrauwen dik, pikzwart en doorgetrokken tot mijn oor en op mijn wangen zijn twee knalroze ronde blosjes getekend. Mijn oogleden zijn babyblauw geschilderd en op mijn jukbeenderen zit een grote klodder viezige goudkleurige glittergel. Kortom: ik zie eruit als een ontplofte regenboog.

'Nog een beetje mascara, meiske?' vraagt de moeder van Merel. Ik twijfel, maar Merels moeder heeft mijn kin al vast in een ijzersterke greep en trekt mijn gezicht vastberaden naar zich toe. 'Kom maar 'es efkes hier met die mooie oogkes van je,' zegt ze. Ze houdt de mascaraborstel angstaanjagend dicht bij mijn oogbal.

'Nee, dat is niet nodig. Dank u wel,' sputter ik tegen en ik probeer me los te trekken.

'Maar meiske, zo is 't geen gezicht, hoor.' Ze begint steeds wilder met haar mascaraborstel te zwaaien, maar ik knijp mijn ogen stijf dicht. Dit is een belangrijke avond en ik kan het me echt niet veroorloven om nu een oog kwijt te raken. Zonder oog kun je geen diepte meer zien en zonder diepte kun je geen flikflak maken.

'Ik ben allergisch voor mascara!' roep ik in paniek. Merels moeder laat mijn kin los en kijkt me vol afschuw aan. 'Allergisch?' vraagt ze, haar ogen groot en vol medelijden.

Ik knik ernstig. 'Ja, mijn ogen ploppen er zowat uit als ze in aanraking komen met mascara.'

Er wellen tranen op in haar ogen. 'Och, meiske toch. Wat verschrikkelijk voor je.' Ze legt het borsteltje naast zich neer, slaat haar armen om me heen en aait me over mijn hoofd. 'Stil maar.'

Terwijl ik de stevige omhelzing van Merels moeder maar gewoon over me heen laat komen, kijk ik over haar schouder naar Sterre, die bijna van haar stoel glijdt van het lachen. Ze zit in de stoel tegenover de mijne en wordt ook opgemaakt, maar dan door iemand anders. Ook zij heeft rode lippen en babyblauwe ogen, maar bij haar ziet het resultaat er een stuk beter uit. In de stoel naast Sterre zit Merel te wachten totdat zij aan de beurt is. Ze kijkt naar haar moeder, die me nu zowat plet in haar omhelzing en daarna naar mijn uit de hand gelopen make-up. 'Sorry,' gebaart ze schuldbewust en ik gebaar onhandig terug dat het niet erg is.

Als Merels moeder me eindelijk loslaat en me nog een keertje heel erg medelijdend heeft aangekeken, kan ik gelukkig weg.

Sterre is ook klaar. Samen lopen we naar de toiletten om te kijken of er nog iets van mijn clownsmake-up is te herstellen. Telkens als ze me aankijkt en de chaos op mijn gezicht ziet schiet ze weer in de lach. 'Sorry,' zegt ze. 'Het valt best wel mee.'

Ze duwt de deur van de toiletten open en knalt bijna tegen Leonie en Daniëlle aan, die druk in de weer zijn met toiletpapier. Daniëlle kijkt naar mijn ontplofte hoofd, reikt me een stukje papier en zegt: 'Hier, zo te zien ben jij ook opgemaakt door de moeder van Merel.'

Daniëlle en Leonie hebben allebei net zo'n ravage op hun gezicht als ik en nu staan we met z'n drieën voor de spiegel de rommel er weer van af te vegen. Gelukkig heeft Leonie haar eigen make-up meegenomen en binnen een kwartier zien we er alle drie weer een beetje fatsoenlijk uit – nog steeds niet zo mooi als Sterre, maar in elk geval durven we ons gezicht weer in het openbaar te vertonen.

'Zijn er al meer mensen op de hoogte van je plan?' vraagt Leonie ineens. Ze staart me via de spiegel aan en ik schud mijn hoofd.

Nee, het leek me verstandig om zo min mogelijk mensen te vertellen wat ik van plan ben, om te voorkomen dat Lonneke iets begint te vermoeden.

Daniëlle staat me nieuwsgierig aan te kijken. 'Wat voor plan?'

Sterre veegt een laatste restje goudkleurige glitterklieder

van mijn wang en zegt: 'Puck gaat zorgen voor een spetterend einde van de musical.'

'Ja,' beaamt Leonie, 'ze gaat de flikflak doen aan het eind van de laatste dans.'

De ogen van Daniëlle worden groot en ze kan een nerveus lachje niet onderdrukken. 'Lonneke gaat flippen,' voorspelt ze.

Ik knik en buig me klunzig over de wastafel heen naar de spiegel toe om mascara op te doen. 'Ik denk dat ze woest zal zijn,' zeg ik en ik word ineens overvallen door een enorme aanval van megazenuwachtigheid. Wat nou als Lonneke er veel te vroeg achter komt wat ik van plan ben? Ik durf niet verder te denken. Niet alleen zal ze dan ter plekke uit haar vel barsten, maar ze zal me waarschijnlijk ook ergens in de krochten van de school opsluiten, om me vervolgens een eenzame hongerdood te laten sterven.

Blijkbaar straalt mijn gezicht pure angst uit, want Sterre wrijft ineens geruststellend over mijn arm.

Daniëlle, die nu als een soort spastische skippybal op en neer staat te springen van opwinding, klapt in haar handen. Haar ogen twinkelen; ze vindt het overduidelijk fantastisch om deel uit te maken van een groot geheim. 'Dus je gaat gewoon de flikflak doen? Zomaar? Zonder dat iemand het weet?'

Ik knik. 'Ik heb Rogier, de zoon van de conciërge, gevraagd of hij de spotlight op mij wil richten aan het eind van de dans. En het vriendje van Leonie heeft beloofd om het gordijn nog even omhoog te houden, zodat ik de flikflak kan doen.'

'Ja,' zegt Leonie, 'en hij vindt het een geweldige stunt.' Ze staat gebukt, met haar hoofd in de richting van de grond, en is haar lange, blonde haar aan het borstelen. 'Ik heb hem trouwens wel moeten beloven dat ik in ruil voor zijn medewerking alle delen van *Star Wars* met hem ga kijken.' Ze slaakt een vermoeide zucht. 'Dus, Puck, je bent me wel wat verschuldigd.' Ze komt weer overeind, gooit haar haren naar achteren en knoopt ze dan in een nonchalante knot. Leonie ziet er altijd zo elegant uit, alsof ze zo uit een schilderij is gestapt. Haar gekneusde enkel is jammer genoeg nog niet helemaal genezen, ze loopt nog steeds een beetje mank. Gelukkig mag ze van de dokter wel dansen, op voorwaarde dat ze geen rare bewegingen maakt. Ik weet niet precies hoe ze dat wil gaan doen. Als je er goed over nadenkt is elke dans eigenlijk een grote verzameling van rare bewegingen.

Plotseling wordt er op de deur geklopt en voor het raampje van de toiletten verschijnt het vrolijke gezicht van Björn. Hij trekt de deur een stukje open en steekt zijn hoofd om het hoekje. 'Wauw, dus dit is nu de meisjes-wc,' zegt hij overdreven en hij kijkt met wijd open mond om zich heen. 'Het stinkt hier!' roept hij lachend.

'Wat kom je doen, Björn?' zegt Sterre woest. 'Rot op.'

'Maak je niet druk, ik kom alleen maar zeggen dat Van Vlimmeren iedereen nog even toe wil spreken voordat we beginnen, dus of jullie naar de coulissen willen komen.' Björn kijkt gefascineerd om zich heen, alsof hij zich op verboden terrein bevindt.

'We komen eraan,' zegt Leonie en ze mikt al haar toiletspullen met een zwier weer in haar tas.

Met zijn vijven lopen we naar de grote ruimte achter het podium. Iedereen die meedoet aan *Wonderland* heeft zich daar verzameld en meneer Van Vlimmeren is op een emmer gaan staan om boven de menigte uit te komen. 'Beste mensen!' roept hij. 'Horen jullie dat geroezemoes in de zaal? Dat is het publiek. Dat zijn al jullie ouders, broertjes, zusjes, opa's, oma's, vrienden en kennissen.' Hij pauzeert even voor een dramatisch effect en kijkt verlekkerd om zich heen. Misschien hoopt hij dat er mensen gaan flauwvallen van de zenuwen, maar niemand stort ter aarde en hij gaat zichtbaar teleurgesteld verder met zijn toespraak: 'Al deze mensen gaan straks naar jullie kijken; al deze mensen komen voor dramatiek, voor theater!' Zijn stem klinkt van opwinding een octaaf hoger. Het is duidelijk dat meneer Van Vlimmeren voorlopig nog niet klaar is met zijn speech, hij komt pas op gang. Lonneke staat vlak voor hem en hij haalt alles uit de kast om indruk op haar te maken. 'Jongens en meisjes, jullie staan aan het begin van een grootse, fenomenale avond!' brult hij.

Opeens voel ik een hand op mijn schouder en ik draai me om. Jesse staat achter me.

'Ik geloof dat Van Vlimmeren nog wel even bezig is,' fluistert hij. 'Kan ik even met je praten?'

Ik kijk hem verwonderd aan. Praten? Jesse wil met mij praten? Waarover dan?

'Ja, hoor. Ze wil best met je praten,' fluistert Sterre en ze duwt me zijn richting op.

Ik knik een beetje dom en volg Jesse, die zich een weg baant door de menigte. Mijn hart klopt in mijn keel en schichtig kijk ik een paar keer om me heen. Eigenlijk verwacht ik dat Eline elk moment voor onze neus kan staan om Jesse weer beheerst doch kwaadaardig bij me vandaan te leiden.

Jesse loopt een lege gang in en ik hobbel achter hem aan. Ik vraag me af of ik iets tegen hem moet zeggen. En zo ja, wat dan precies?

Hij rammelt aan de deurklink van het dichtstbijzijnde lokaal, maar dat zit op slot. 'Hm,' bromt hij en hij loopt naar het volgende lokaal.

Zal ik iets zeggen over het weer? Over de moeilijkheidsgraad van de scheikundeproefwerken hier op school? Over de toestand van het Midden-Oosten?

Bij de tweede deurklink heeft hij meer geluk, want het lokaal is open. Jesse pakt mijn hand (wha!), trekt me naar binnen en sluit de deur achter zich. 'Ik wil heel graag iets weten,' zegt hij en hij kijkt me nogal megadoordringend aan, met die bruine bambi-ogen van hem.

'Wat dan?' Ik ga boven op het bureau voor in de klas zitten en sla mijn benen achteloos over elkaar. Tenminste, ik hoop maar dat het achteloos oogt, want ik voel me totaal niet achteloos. Ik voel me heel erg niet-achteloos.

'Waarom duik jij nu al wekenlang onder een tafel als je mij ziet?' Ik zie aan zijn ogen dat hij nog niet uitgepraat is, maar hij twijfelt en kijkt naar de grond. 'Ik vind je heel leuk, Puck,' zegt hij dan en er valt een lange stilte.

O. Mijn. God. Jesse vindt mij leuk. Mij! Puck de Wildt! Dit is de geweldigste droom ooit, en ik wil nooit meer wakker worden!

'Ik vind het heel jammer dat je me nu steeds ontwijkt,' zegt hij.

Het is weer even stil en ik besef dat het nu mijn beurt is om mijn mond open te doen. Dit is mijn grote kans om een diepe, diepe indruk op hem te maken.

'O,' mompel ik.

Jesse kijkt bedenkelijk en vraagt: 'Is dat een "o, ik vind jou ook leuk" of een "o, ga weg en ik wil je nooit meer zien"?'

Ik schud mijn hoofd. 'Het is een "o, maar hoe zit het dan met Eline?"'

Hij kijkt me niet-begrijpend aan. 'Eline?' vraagt hij. 'Wat is er met Eline?'

Ik glijd van het bureau af en sla mijn armen over elkaar. Gaat hij nu echt staan doen alsof hij van niets weet? 'Ja, Eline.' zeg ik op ferme toon. 'Je weet wel, het meisje dat tegenwoordig ongeveer aan je vastgeplakt zit en aan wie je constant sms'jes stuurt als jullie even losgeweekt zijn van elkaar? Dat meisje.'

Jesse kijkt verbijsterd. 'Jij denkt dat Eline en ik iets met elkaar hebben?' vraagt hij. 'Ik heb haar telefoonnummer niet eens!'

Ik ben stomverbaasd. 'Maar... Hoe doe je dat dan met sms'en?' vraag ik dom.

'Ik heb haar nog nooit in mijn leven een bericht gestuurd!'

Sprakeloos kijk ik Jesse aan. 'Maar...' stamel ik. Ik heb zo ontelbaar veel vragen dat ik even niet weet waar ik moet beginnen. 'Maar... Hoe... Huh?!' stotter ik. 'Ze hangt al weken als een soort gezwel aan je arm.'

Jesse grinnikt en knikt dan. 'Zij zoekt mij telkens op, ik haar niet,' zegt hij. 'Van het ene op het andere moment was ze er gewoon, maar daar heb ik niet om gevraagd.'

Met grote ogen sta ik Jesse aan te gapen. Zijn verhaal is echt té bizar voor woorden. Heeft Eline net gedaan alsof ze iets met Jesse had?

'Er staan zelfs foto's van jullie samen op haar Hyvesprofiel,' zeg ik argwanend. 'Hoe verklaar je dat dan?'

'Die foto's moest en zou ze maken toen ik haar een

paar weken geleden hielp met het doornemen van haar tekst voor *Wonderland*. Meer niet.'

Ik kan al deze nieuwe informatie bijna niet verwerken. Mijn hersenen raken echt totaal overbelast. Eline heeft alles gefaket? Zou je echt zo ver gaan? In dat geval is ze echt krankjorum. Wie doet nou zoiets?

Jesse pakt mijn hand en trekt me naar zich toe. 'Jij bent degene die ik fantastisch vind, Puck,' verklaart hij nog eens.

Ik heb het ernstige vermoeden dat hij me probeert te hypnotiseren met zijn verrukkelijke ogen en dat lukt hem prima. Hoe kan ik nou weerstand bieden aan iemand die zo verschrikkelijk leuk is? Dat kan niet. Dat is gewoon niet mogelijk. Hallo, ik ben ook maar een mens.

Jesse komt voor me staan en legt zijn linkerhand in mijn zij en strijkt met zijn rechterhand over mijn wang. Onmiddellijk heb ik kippenvel over mijn hele lijf en door alle spanning vergeet ik helemaal dat ik eigenlijk adem moet halen zodat ik blijf leven. Met zijn vinger tilt Jesse mijn kin een stukje omhoog en zijn gezicht komt steeds dichter bij het mijne. Dit is hét moment. Nu gaat het gebeuren. Het is eindelijk tijd voor de vlammende verliefdheidskus...

'Jongens?'

Verstoord kijk ik op.

Sterres hoofd piept door het kiertje van de deur en ze

kijkt nieuwsgierig het lokaal in. Ze heeft onmiddellijk door dat ze op een slecht moment binnenkomt, want er verschijnt een dikke grijns op haar gezicht. 'Sorry dat ik jullie momentje onderbreek...' zegt ze, 'maar *Wonderland* is al begonnen en Puck moet zo meteen dansen.'

18

Zorgvuldig schuif ik het gordijn een piepklein stukje opzij. Ik kijk de volle zaal in en zie honderden stoeltjes met daarop honderden mensen die allemaal hun ogen strak gericht hebben op het podium voor hen. De musical is al een hele tijd in volle gang en Renske Zonnebloem, omgetoverd tot Alice, spreekt haar tekst luid en duidelijk uit. 'Ik ben niet gek!' roept ze. 'En ik wil hier helemaal niet zijn!' Ze staat op het toneel met Daan Dorus, die de rol speelt van de grijnzende kat uit het wonderland.

'Daarvoor is het al te laat, meisje,' zegt Daan. 'Iedereen is gek. Jij bent gek, ik ben gek.'

Ik hoor Renske op het podium heen en weer stampen. 'Hoe weet je dat ik gek ben?' vraagt ze.

'Dat moet wel, anders was je nooit naar dit wonderland gekomen,' antwoordt de stem van Daan.

Meneer Van Vlimmeren staat een paar meter bij me vandaan geconcentreerd mee te playbacken met de tekst van Renske en Daan. Hij kent het complete script van begin tot eind uit zijn hoofd en duldt geen afwijkingen. Telkens als iemand op het podium zich verspreekt krimpt meneer Van Vlimmeren in elkaar van afschuw. Persoonlijk vind ik dat hij zich een beetje aanstelt als hij weer eens naar zijn hart grijpt wanneer Renske haar tekst improviseert, maar ik houd wijselijk mijn mond.

Met mijn hand voel ik of de bolhoed op mijn hoofd nog wel recht zit en ik frunnik aan mijn witte blouse. We hebben al drie dansen gehad en de stoelendans is de volgende. Ik schuif het gordijn nog iets verder opzij en kijk of ik mijn ouders in de zaal kan ontdekken.

Ze zijn niet zo heel moeilijk te vinden, want mijn vader haalt elke minuut nogal luidruchtig zijn neus op en daar trekt hij heel veel aandacht mee. Telkens als hij zo'n rochelend geluid maakt, werpt de man die naast hem zit hem een boze blik toe. Ik heb een beetje medelijden met mijn vader, want hij kan er ook niets aan doen dat hij zo zit te snuffen. Al drie dagen lang loopt er non-stop snot uit zijn neus en we hebben nog geen idee waar het door komt. Hij is vast weer ergens allergisch voor geworden. Mijn moeder zit op de stoel naast mijn vader en kijkt met een verbeten gezicht naar wat zich afspeelt op het toneel. Zo af en toe werpt ze een blik op haar horloge en ik zie dat ze diep en overdreven zucht. Waarschijnlijk zit ze te denken aan alle nuttige dingen die ze nu zou kunnen doen als ze gewoon thuis was, zoals het zilver poetsen of de rand van het grasveld bijwerken met haar nagelknippertje. Naast mijn moeder zitten Naomi en Niels, die zich allebei gelukkig wel lijken te vermaken. Vanmiddag heb ik samen met Niels voor de laatste keer de dubbele flikflak geoefend en vlak voordat ik naar school ging om mee te helpen met de laatste voorbereidingen voor *Wonderland*, wenste hij me heel veel succes.

Ik laat het gordijn los en neem de drukte om me heen in me op. Er lopen allerlei mensen opgewonden heen en weer. Het meisje dat de gemene Rode Koningin speelt, staat zenuwachtig haar tekst te herhalen, twee jongens uit het koor zijn toonladders aan het zingen om hun stem warm te houden en Sterre en Björn oefenen nog een keer samen de laatste dans.

'Puck!' Rogier staat boven aan de trap achter het podium naar me te zwaaien.

Ik kijk nieuwsgierig naar boven. 'Hoi, Rogier, alles goed?'

Rogier knikt wild.

Ik grinnik en steek mijn duimen naar hem op. 'Voorzichtig daarboven, hoor!'

Zijn superschattige sproetengezichtje glimt van trots en hij haalt zenuwachtig een hand door zijn knalrode stekeltjeshaar. 'Succes straks met, je weet wel... je geheim,' fluistert hij op een samenzweerderig toontje en hij kijkt zenuwachtig om zich heen uit angst dat iemand hem gehoord heeft.

In de zaal begint het publiek plotseling hard te lachen en te klappen. Renske en Daan komen met een opgelucht gezicht het podium af rennen en geven elkaar een high five.

'Yes!' roept Renske. 'Dat ging echt flitsend!'

Rogier buigt zich snel nog iets verder naar beneden, kijkt me met grote ogen aan en fluistert: 'Je kunt op me rekenen, hoor, ik richt de spotlights straks op jou.'

'Dank je wel,' fluister ik terug. Ik probeer te glimlachen, maar plotseling word ik een beetje misselijk als ik denk aan mijn geheim.

De lichten op het podium worden gedoofd en het is tijd voor de volgende scène; de scène van het theepartijtje gaat beginnen. Er wordt een lange tafel op het podium neergezet met dertien stoelen. Op de tafel staan honderd verschillende theekopjes en een grote theepot. Wil de dansgroep zich verzamelen voor de volgende dans?' fluistert meneer Van Vlimmeren. De gekke hoedenmaker komt het podium op lopen en de lampen gaan langzaam weer aan. Hij begint een lied te zingen, maar ik kan me er niet echt op concentreren. Mijn handen beginnen te trillen en het zweet breekt me uit. Even kan ik alleen maar denken aan de einddans en dat ik straks voor een bomvolle zaal een flikflak moet gaan doen.

Ik ben nu officieel bloednerveus. 'Gaat het?' Ik voel een hand op mijn rug en van schrik vlieg ik zowat vijf meter de lucht in. Het is Leonie.

'Eh... Ja, het gaat prima. Ik ben er echt he-le-maal klaar voor,' mompel ik, terwijl ik mijn klamme handen afveeg aan mijn witte blouse. Ik zie aan haar gezicht dat ze me niet gelooft.

'Echt!' piep ik.

Leonie kijkt me onderzoekend aan en trekt haar linkerwenkbrauw omhoog.

'Oké, ik ben bang dat ik straks ga kotsen,' verzucht ik dramatisch.

Leonie pakt mijn handen vast. 'Luister, je gaat die flikflak straks perfect uitvoeren. Dat weet ik zeker.'

Ik knik, maar ik geloof er geen woord van. Ik ga falen. Ik ga totaal, compleet, volledig, voor honderd procent falen. Ik zal mijn been breken en dan heeft Lonneke gewonnen. Waarom heeft niemand me tegengehouden toen ik dit bespottelijke idee bedacht? Waarom zei niemand: 'Puck, doe dat nou niet, want straks ga je kotsen van de zenuwen of breek je een been?' En daar had ik dan echt wel naar geluisterd, want ik haat kotsen en benen breken.

Leonie aait me nog een keer over mijn rug en gaat weer staan. 'We moeten zo op. Concentreer je nu eerst maar op de stoelendans.'

Ineens staat Sterre naast me, alsof ze zomaar uit het niets tevoorschijn is gekomen. Ze slaat een arm om me heen. 'Het komt allemaal goed,' zegt ze vol vertrouwen en haar ogen twinkelen. Ze wrijft zich in haar handen van opwinding.

Renske Zonnebloem voegt zich bij ons. 'Zijn jullie klaar om weer op te gaan, meiden?'

Leonie en Sterre knikken heftig, maar ik staar haar

alleen maar met een lege blik aan. Als ze wist hoe ik me op dit moment voel (supermisselijk), dan zou ze vast niet zo dicht bij me durven staan. Ik hoor de dirigent een paar keer met zijn stok tegen zijn muziekstandaard tikken en dan begint het orkest weer te spelen.

'Ik zie jullie zo wel op het podium!' fluistert Renske en ze rent het toneel op.

Sterre knijpt in mijn hand en samen luisteren we naar het tafereel dat zich afspeelt voor het publiek. De scène van het theepartijtje is nu in volle gang. De rest van de dansgroep verzamelt zich ook aan de rand van het podium, klaar voor de stoelendans.

Lonneke steekt haar hoofd nog even om het hoekje om ons moed in te praten. Nou ja, om de anderen moed in te praten en mij nog even af te kraken. 'Zet 'm op, jongens. Tot nu toe ziet het er heel strak uit. Ga gewoon zo door, dan kan er niks fout gaan. Behalve bij jou, Puck. Kijk goed af bij Eline, anders wordt het niks.'

Ik zeg geen woord en knijp mijn bolhoed fijn. Gelukkig klinkt er een tetterende trompet door de zaal, ons teken om op te komen. Ik adem een paar keer diep in en uit en probeer me te concentreren op de dans die ik nu moet doen. Het zou een beetje jammer zijn als ik met deze dans compleet de mist in ga.

Iedere danser neemt plaats op een van de stoelen die om de tafel staat. Alice en de hoedenmaker zijn bezig met hun lied en de dansgroep zit zwijgend op de stoelen. Om mezelf een beetje af te leiden kijk ik naar het decordoek dat aan de achterwand van het podium hangt. Jesse heeft zichzelf overtroffen. Het huis van de hoedenmaker staat erop, net zo gek en kleurig als de hoedenmaker zelf. Terwijl ik naar het doek zit te staren voel ik mezelf een beetje tot rust komen. Dan klinkt er hard tromgeroffel en komt de hele dansgroep in beweging. Iedereen staat op en sleept een stoel achter zich aan.

Ik ga braaf op mijn plekje achteraan op het podium staan en tel af. Iedereen stapt tegelijk op de stoel. De lichten schijnen fel in mijn ogen en opeens zie ik het gelukkige gezicht van mevrouw Reuzer voor me. Haar woorden malen door mijn hoofd: 'Laat je nooit door iemand vertellen dat je niet geweldig bent,' en ik kan niet anders dan glimlachen. De muziek begint en voorzichtig laat ik mezelf en de stoel naar voren vallen. Ik loop naar voren, net zoals de rest van de groep. Langzaam maar zeker valt alle spanning van me af en ik voel me sterk. Eindelijk kan ik me écht concentreren op de muziek en het dansen, en even denk ik helemaal nergens meer aan.

19

De rest van de musical gaat veel te snel. De scènes volgen elkaar in een razend tempo op en de allerlaatste dans komt angstaanjagend dichtbij.

'Het is tijd! Iedereen die meedoet met de einddans moet zich nu naar het podium begeven.' Een gestreste meneer Van Vlimmeren probeert iedereen voor de allerlaatste scène bij elkaar te krijgen. Ik sta hevig hyperventilerend tussen de coulissen te wachten tot we nog een laatste keer het toneel op mogen. De lichten worden gedoofd en even is het helemaal stil en pikdonker. Iedereen neemt zijn plek op het podium in en een paar seconden lang twijfel ik nog. Ik weet dat dit niet verstandig is. Dit plan is ongeveer het onverstandigste plan dat ik ooit heb gehad. En dan tel ik die keer dat ik een knikker in mijn neus had geduwd en naar het ziekenhuis moest mee.

'Puck!' Leonie loopt naar me toe, duwt me naar voren en neemt mijn plek achteraan in. 'Hup, jouw plek is nu daar,' fluistert ze.

Ik slof gehoorzaam naar voren. Even overweeg ik heel serieus om keihard weg te rennen. Het is toch donker, bijna niemand zal me zien. Tegen de tijd dat het licht aan gaat, ben ik allang achter de schermen verdwenen, op weg naar een heel, heel, heel ver land.

Er klinkt muziek. Ik houd mijn adem in, het slotnummer gaat nu echt beginnen.

Renske Zonnebloem begint haar tekst te zingen met een heldere, krachtige stem – en heel langzaam gaan de lichten aan. Het is te laat, ik kan niet meer terug. Zenuwachtig pluk ik aan de kleurige sjaals om mijn nek. Het is nu nog maar een kwestie van seconden totdat Lonneke ziet dat ik niet op de goede plek sta en dan barst hoogstwaarschijnlijk de hel los. Of erger. Linksachter bij de coulissen verschijnt een silhouet. Mijn hart slaat een tel over en er ontsnapt een gelukzalige zucht uit mijn mond. Het is Jesse. Hij lacht en steekt allebei zijn duimen naar me op. Ik kan hem jammer genoeg niet laten merken hoe blij en opgelucht ik ben hem te zien, want de hele dansgroep moet stokstijf stil blijven staan totdat Renske klaar is met haar lied.

Ik probeer me te concentreren op de tekst en heel even sluit ik mijn ogen. Als ik ze weer opendoe staat Jesse niet meer in zijn eentje bij de coulissen. Er is een angstaanjagende verschijning naast hem opgedoemd – Lonneke. Ze is furieus! Ik kan haar bijna vanaf het podium horen briesen en snuiven van woede. Ze ziet eruit alsof ze elk moment gillend het podium op kan rennen om mij er hardhandig vanaf te duwen. Gelukkig begrijpt zelfs Lonneke dat ze dat niet kan doen, want er zijn veel te veel getuigen. Met onbeleefde gebaren (die ik hier niet zal beschrijven) maakt ze me duidelijk dat ik op mijn eigen plek moet gaan staan, maar ik peins er niet over. Op slag zijn al mijn angsten en twijfels verdwenen en het enige wat ik nog wil is mijn spectaculaire plan perfect uitvoeren. Ik zal Lonneke eens laten zien dat haar dictatorschap over is. Ik zal haar eens laten merken dat er niet met mij te sollen valt. Ik, Puck de Wildt, ben onsolbaar!

Renske is inmiddels klaar met het zingen van haar lied. Ze wandelt naar de zijkant van het podium. Het is tijd voor de einddans, de klapper van de avond. De dansgroep stapt naar voren en ik loop voorop.

Ik loop voorop! De adrenaline giert door mijn lijf. Ik werp nog een laatste blik op Lonneke. Haar gezicht is donkerpaars geworden en het lijkt erop dat haar ogen elk moment uit haar oogkassen kunnen ploffen. Dat is precies de reactie waar ik op had gerekend.

De vrolijke dansmuziek begint en ik kijk strak voor me. Links, rechts, buiging, pirouette. Het gaat goed. Nee, het gaat geweldig. Nog een pirouette. Nog een pirouette. Björn en Erwin staan aan de zijkanten en zwieren Sterre en Merel in de lucht alsof het niets is. Rode jurken en kleurige sjaals wapperen over het toneel, handen bewegen sierlijk in de lucht heen en weer. We dansen allemaal alsof ons leven ervan afhangt en het publiek klapt mee.

En dan is het grote moment plotseling aangebroken. De dans is bijna afgelopen en een voor een lopen de dansers naar de zijkanten van het podium. Ik heb gelukkig geen tijd om een paniekaanval te krijgen, want daar gaat alles veel te snel voor. Zonder er ook nog maar een seconde over na te denken doe ik een paar passen naar achteren. Ik neem een kleine aanloop en dan maak ik echt de perfectste en volmaakste dubbele flikflak ooit. Met mijn beide voeten stevig naast elkaar land ik weer op het podium.

Even is de hele zaal muisstil, behalve ik, want ik sta te hijgen als een paard. Maar dan barst het publiek in gejuich uit. Alle dansers en toneelspelers om me heen staan met open mond naar me te kijken.

Even weet ik niet zo goed wat ik moet doen. Gillend wegrennen? Een diepe buiging maken? Langzaam zakt het doek naar beneden en het publiek blijft maar klappen.

Zo gauw het doek helemaal dicht is springt Sterre op me af en plet me in een innige omhelzing. 'Woehoee!' joelt ze, terwijl ze me zo stevig tegen zich aan drukt dat ik geen adem meer kan halen.

Leonie roept boven het gejuich van het publiek uit: 'Wauw, Puck. Dat was geweldig!' en meneer Van Vlimmeren staat glunderend aan de zijkant van het podium als een idioot in zijn handen te klappen. Ik krijg van alle kanten complimenten. Wat een supergaaf gevoel!

'Jongens, buigen!' roept meneer Van Vlimmeren en hij gebaart dat het doek weer omhoog moet. Hij pakt de microfoon en roept met overslaande stem: 'Dames en heren, mag ik een luid applaus voor iedereen die heeft meegeholpen om van deze musical zo'n groot succes te maken!'

Vanuit de coulissen komt iedere deelnemer het podium op rennen terwijl het applaus steeds harder klinkt. Het podium staat binnen de kortste keren helemaal vol en allemaal tegelijk maken we een diepe buiging.

'En een extra groot applaus voor onze geweldige hoofdrolspeelster Renske Zonnebloem!'

Renske komt naar voren en maakt een diepe buiging. Dan grijpt ze mijn hand vast en gooit mijn arm omhoog. 'Jij was de ster van de show,' zegt ze. 'Kom op, buigen!' Ze slaat haar arm om me heen en samen maken we nog een keer een diepe buiging.

In het publiek gaat iemand staan; het is mijn moeder. Af en toe moet ze haar uitbundige geklap even onderbreken om de tranen uit haar ogen te vegen. Al snel volgt de rest van het publiek. Iedereen staat op, klappend en joelend, en ik kan alleen maar grijnzend om me heen kijken. In het publiek staan allebei mijn ouders nu openlijk te huilen en mijn broer en mijn zusje staan er ongemakkelijk naast en schamen zich dood. Nog heel even geniet ik van het denderende applaus en dan gaat het doek langzaam voor de laatste keer naar beneden.

Ik voel me echt een beetje stoned als ik het podium af ren. Stoned en supertrots. Jesse staat nog steeds aan de zijkant van het toneel en ik vlieg op hem af. In volle vaart spring ik in zijn armen en geef ik hem een dikke klapzoen op zijn mond. Meteen krijg ik een kleur. O mijn god, wat doe ik nu?! 'Eh...' breng ik uit.

Maar hij lacht alleen maar en pakt met beide handen mijn gezicht vast.

'Puck de Wildt, jij bent echt het coolste meisje dat ik ooit heb ontmoet,' verklaart hij plechtig. Ik voel niet echt de neiging om hem tegen te spreken, want op dit moment ben ik het eventjes compleet met hem eens.

En dan trekt hij me dicht tegen zich aan en kust hij me. En dan heb ik het niet over een suf zoentje op mijn wang of zo'n dikke smakkerd die ik altijd van mijn oma krijg. Nee, ik bedoel een echte, geweldige, duizelingwekkende, totaal romantische verliefdheidkus. Wauw. Sorry hoor, maar ik ben tijdelijk uitgeschakeld. Ik kan even niet meer denken.

Een harde knal doorbreekt mijn trance. Verstoord kijk ik op. Hallo, kan men niet zien dat ik met zwaar belangrijke zaken bezig ben? Zaken zoals zoenen met Jesse?

Jesse lacht om mijn boze gezicht. 'Dat klinkt alsof er iets instortte op het podium. Ik ga even helpen,' zegt hij. Hij kust me nog een keer en dan is hij weg.

Het is ineens heel stil om me heen en ik vermoed dat iedereen zich aan het omkleden is. Met mijn hoofd in de wolken zweef ik door de school, in de richting van de kleedkamers.

'Puck!' Lonneke krijst mijn naam door de gang en ze

komt met sneltreinvaart op me af rennen. Ze beweegt zich echt onnatuurlijk snel en binnen een halve nanoseconde staat ze pal voor mijn neus. Mijn roze wolk spat uit elkaar en ineens sta ik weer met beide benen in de harde werkelijkheid. Er is niemand in de buurt die Lonneke tegen kan houden als ze me wil wurgen. En aan haar uitpuilende ogen te zien wil ze dat heel graag.

'Vals kreng!' Haar stem is zo hard en schel dat ik een beetje bang ben dat mijn trommelvliezen het zullen begeven. 'Ben je niet goed bij je hoofd?!' Ze rukt een van de kleurige sjaals die ik nog om heb ruw van mijn nek. 'Als ik zeg dat je achteraan moet staan, dan doe je dat!' De tweede en de derde sjaal rukt ze nog wilder van mijn nek en ik voel hoe de stof pijnlijk in mijn huid snijdt. 'Jij kunt niet dansen en je hoort niet vooraan!' Ik zie dat ze naar een manier zoekt om me pijn te doen en heel even ben ik ervan overtuigd dat ze me gaat slaan. Ze heft haar arm omhoog en ik duik in elkaar om me tegen de klap te beschermen, maar ze houdt zich in. 'Hier ga je spijt van krijgen, kleine rat,' sist ze. 'Spijt!' In plaats van me te slaan grijpt ze de belachelijk grote rode strik die in mijn haren zit vast en geeft er een ferme ruk aan. Een felle pijnscheut trekt door mijn hoofd.

'Au!' gil ik. 'Doe normaal!'

Er verschijnt een eng lachje op haar gezicht en ze geeft weer een harde ruk aan de strik in mijn haar. 'Ik zal het je betaald zetten, kleine feeks. Ik zal...'

Een donderstem onderbreekt haar dreigement. 'Jij zult helemaal niks!'

Ineens is de stekende pijn verdwenen, Lonneke heeft me losgelaten en meneer Van Vlimmeren houdt Lonnekes arm in een ijzeren greep. Ze kan zich niet meer bewegen.

'Wat ben jij in vredesnaam aan het doen?' buldert hij.

Woest probeert Lonneke zich los te rukken en op me af te springen, maar meneer Van Vlimmeren weigert haar los te laten.

'Dat kreng! Dat kreng!' krijst Lonneke razend en ze zwaait met de vuist van haar vrije arm woest heen en weer. Ze maakt zoveel lawaai dat ik vrij zeker weet dat ze door de hele school te horen is. 'Je bent een ongehoorzaam, vals, geniepig loeder!' zegt ze met een krassende stem. Ik kijk naar het geschokte gezicht van meneer Van Vlimmeren, die de dolgedraaide Lonneke in bedwang probeert te houden, en ik zie aan zijn gezichtsuitdrukking dat zijn aanbidding voor haar in één klap over is.

Eline komt ook de gang in lopen. Ze verstart als ze haar oudere zus ziet staan in de greep van meneer Van Vlimmeren. 'Lonneke? Wat doe je?' vraagt ze verschrikt.

Maar Lonneke reageert niet. Ze blijft mij maar uitschelden: 'Serpent! Mispunt! Achterbaks mormel!'

Langzaam maar zeker komen er steeds meer mensen op het lawaai af.

Sterre komt uit de kleedkamer gerend en grijpt mijn hand vast. 'Gaat het?' fluistert ze en ik knik.

En daar is ook Jesse. Eline wil zich weer eens aan hem vastklampen, maar hij negeert haar. Ha, hij negeert haar! Ik heb zin om mijn tong uit te steken en dan heel kinderachtig 'nanananananaaaaaaaaana' te roepen, maar ik houd me heel volwassen in.

Jesse komt naast me staan en slaat een arm om me heen. Met zijn drieën staan we de krijsende Lonneke te observeren. Intussen wordt meneer Van Vlimmeren bijgestaan door mevrouw Springeling, die Lonnekes andere arm op haar rug draait. Ik hoor het commentaar van de toegestroomde leerlingen.

'Wauw, die is echt gek geworden.'

'Helemaal doorgedraaid.'

'Ik heb altijd al gedacht dat ze niet goed bij haar hoofd was.'

Lonneke blijft maar krijsen, maar ze heeft het nu niet meer alleen tegen mij. 'Stelletje mispunten. Ik zal jullie allemaal krijgen! Allemaal! Wacht maar af, want ik ben beter dan jullie ooit zullen zijn.'

Mevrouw Springeling, die Lonneke in bedwang probeert te houden, heeft assistentie gekregen van drie andere leraren. Samen leiden ze Lonneke krachtig de gang uit.

'Wacht maar, ik krijg jullie wel!' blijft ze maar gillen.

Meneer Van Vlimmeren gebaart dat iedereen weer door moet lopen. 'Wegwezen, jongens. Hier is niks meer te zien.' Hij wenkt Eline dat ze met hem mee moet komen.

Verbijsterd loopt ze achter hem aan. Het lijkt alsof ze niet kan bevatten wat er zojuist is gebeurd.

Jesse drukt een kus op mijn voorhoofd en trekt me dicht tegen zich aan. 'Wat een raar mens,' zegt hij en ik schiet in de lach. Ik wrijf nog even over mijn haren om te voelen of Lonneke er niet toevallig een hele pluk uit heeft getrokken.

'Ben ik kaal?' vraag ik aan Sterre, terwijl ik mijn hoofd naar haar toe buig.

Sterre lacht en schudt haar hoofd. 'Nee.' Ze aait me over mijn rug. 'Zo,' zegt ze, 'dat is voorbij.'

20

'Sst.' Ik geef Sterre een duw en kijk haar verontwaardigd aan.

Ze kijkt net zo verontwaardigd terug. Haar hoofd is rood, haar ogen staan vol tranen. 'Hallo, ik verslikte me,' zegt ze nijdig. Ze spuugt het koekje uit waar ze net dapper een grote hap van heeft genomen en kijkt er vol afschuw naar. 'Dit is echt heel vies,' verklaart ze. 'Wie heeft die dingen gemaakt?'

Ik gris het half opgegeten koekje uit haar hand en smijt het in de prullenbak. 'Mijn moeder,' zeg ik. 'Ze wilde ook iets doen voor de Reus.' Ik kijk naar de grote schalen met koekjes en probeer de misbaksels van mijn moeder er zoveel mogelijk uit te vissen. Ik wilde nog voorkomen dat haar afgrijslijke koekjes de condoleancebijeenkomst voor mevrouw Reuzer zouden bereiken, maar mijn moeder had ze vanochtend vroeg al weggebracht.

'Heeft je moeder ze gebakken?!' Sterre verslikt zich spontaan nog een keer. 'Wil je alle mensen hier vergiftigen of zo?'

Ik zucht en gooi een stapel koekjes in de prullenbak. 'Help dan,' zeg ik geïrriteerd. 'Er zijn tien miljoen koekjesschalen in de zaal en alle koekjes lijken op elkaar.'

Sterre mikt er ook een in de prullenbak. 'Ja,' beaamt

ze, 'maar die van jouw moeder ruiken en smaken naar zweet, daar kun je ze best goed aan herkennen.'

Samen graaien we zo ongemerkt mogelijk door de schalen, op zoek naar mijn moeders zweetkoekjes. Af en toe kijk ik nerveus om me heen, maar niemand lijkt ons op te merken. De hele zaal staat vol met in het zwart geklede mensen en ze kijken allemaal droevig en serieus. Heel veel mensen die er zijn ken ik. Mijn ouders zijn er en er lopen ook heel veel docenten rond. Mijn klasgenoten staan in kleine groepjes met elkaar te praten. Eline staat met haar vriendinnen niet zo ver bij ons vandaan. Ze vangt mijn blik en knikt naar me. Ik knik terug.

We hebben een soort wapenstilstand ingelast, Eline en ik. Ze is erg geschrokken van de uitbarsting van haar zus en heeft vorige week meteen haar excuses aangeboden voor alles. Het is niet zo dat we elkaar nu aardig vinden, maar ze maakt me in elk geval niet meer het leven zuur. En ze laat Jesse met rust.

De Reus staat een paar meter bij ons vandaan en geeft een voor een iedereen een hand. Ik had niet gedacht dat het mogelijk was, maar hij ziet er nog slechter uit dan eerst. De grote wallen onder zijn ogen verraden dat hij al nachten niet heeft geslapen. Het lijkt wel alsof hij op de automatische piloot staat. Tijdens de kerkrouwdienst van vanochtend moest hij huilen en toen de kist van mevrouw Reuzer een halfuur geleden de grond in ging ook. Maar nu... Hij heeft een glimlach op zijn gezicht en hij maakt met iedereen een praatje, maar zijn ogen staan dof en leeg.

Ik word er een beetje verdrietig van. Hoe moet hij het nu redden zonder zijn vrouw?

Mevrouw Reuzer is vorige week overleden, op de avond van de musical. Ik had eigenlijk gedacht dat ik wel een soort telepathisch voorgevoel zou krijgen of zoiets, of dat er op zijn minst een rilling door me heen zou gaan terwijl ik stond te dansen, maar ik heb er helemaal niets van gemerkt. Het voelt zo gek. Ik was me op die avond superdruk aan het maken over Lonneke en mijn flikflak – en mevrouw Reuzer ging toen gewoon dood. Het is een naar idee. Ik heb ook nog niet echt iets tegen de Reus durven zeggen, behalve dan: 'Gecondoleerd.' Maar ja, dat is zo'n nietszeggend woord. Gecondoleerd. Wat heb je daar nu aan?

'Volgens mij heb ik alle gifkoekjes hier uitgehaald.' Sterre komt naast me staan met een halflege schaal in haar handen. Samen kijken we de grote ruimte rond. Er staan nog meer tafels in de zaal en op elke tafel zie ik een schaal vol met koekjes.

'Doe jij de linkerhelft van de zaal? Dan doe ik de rechterhelft,' stel ik voor.

Sterre knikt en stuift op haar doel af. Ik slenter naar de dichtstbijzijnde tafel, mijn ogen gericht op de schaal die op het midden van het tafelblad staat. Er staan heel veel mensen omheen, zoveel dat ik me er niet bepaald ongemerkt tussen kan persen. Ik wring mijn arm zo subtiel mogelijk tussen twee in het zwart geklede mensen door en mijn vingers zoeken naar de schaal.

'Puck?' Meneer Van Vlimmeren kijkt verbaasd naar mijn arm die zich tussen hem en mevrouw Springeling heen worstelt. Hij heeft een zwart pak aan dat al honderd jaar oud is. Het is vaal en er zitten zoveel draadjes los dat het bijna uit elkaar valt. Zijn baard, die weer eens helemaal onder de koekkruimels zit, heeft hij voor deze plechtige gelegenheid zelf geknipt; het is een beetje scheef uitgevallen. Hij had zijn arm om mevrouw Springeling heen geslagen, maar hij laat haar nu los en gaapt me aan.

Ze zijn trouwens een stelletje nu, meneer Van Vlimmeren en mevrouw Springeling. Meneer Van Vlimmeren was namelijk zo onder de indruk van haar doortastende optreden tijdens Lonnekes emotionele instorting dat hij compleet voor haar in zwijm viel. En ze zijn echt superklef. Elk vrij moment zitten ze aan elkaar te plukken en te plakken. Nou ja, het is wel fijn eigenlijk, want mevrouw Springeling is een stuk vrolijker sinds ze samen is met meneer Van Vlimmeren. Ze stuurt me niet meer bij elk geluidje dat ik maak de klas uit.

Op dit moment staat ze trouwens wel een beetje geirriteerd naar me te kijken. 'Puck?' vraagt ze, op een raar toontje.

'Eh,' stamel ik. Ik duik tussen hen door en in een vloeiende beweging gris ik de koekjesschaal van de tafel. Ik klem hem stevig tegen me aan en kijk meneer Van Vlimmeren en mevrouw Springeling onschuldig aan. 'Ik heb honger,' zeg ik en ik stop zonder te kijken een koekje in mijn mond. Helaas is het een koekje van mijn moeder en ik moet mezelf tegenhouden om het niet meteen uit te spugen. Het smaakt naar een combinatie van ui en zweet en er zit heel erg veel zout in. Ik probeer mijn gezicht in de plooi te houden en glimlach breed. 'Hm,' zeg ik, terwijl ik met mijn hand over mijn buik wrijf om te laten zien hoe lekker ik het vind.

Meneer Van Vlimmeren en mevrouw Springeling kijken elkaar aan en staren dan naar mij. 'Gaat het wel goed, Puck?' vraagt meneer Van Vlimmeren.

Ik steek mijn duim op, glimlach breed en knik, maar ondertussen probeer ik niet te kokhalzen. 'Kan niet beter,' zeg ik met volle mond en ik draai me om en maak me met schaal en al zo snel mogelijk uit de voeten.

In de gang spuug ik alles uit in een servet. Sterre komt aangelopen en reikt me een glas water aan. 'Hier,' zegt ze. 'Ik zag wat je deed. Heel dapper.'

Ik drink het hele glas in één keer leeg en spoel zo grondig als ik kan mijn mond. 'Iew,' klaag ik. 'Iew, gadsie, iew.'

'Ik heb zes schalen zweetkoekjesvrij gemaakt,' zegt Sterre. 'Er zijn er nog maar een paar te gaan.'

Met de rug van mijn hand veeg ik mijn mond droog en ik begin de schaal die ik net heb meegepikt te controleren. Er zitten tien zweetkoekjes in; ik mik ze allemaal in de prullenbak.

Plotseling komt mijn moeder de gang in lopen. 'Puck!' Ze klapt in haar handen en haar ogen twinkelen. 'Raad eens? Mijn koekjes gaan echt als een trein! Ze zijn bijna op.' Ze springt zowat op en neer van enthousiasme. 'Misschien moet ik toch eens iets professioneels gaan doen met mijn baktalent.'

Ze glundert helemaal en ik heb het hart niet om haar de waarheid te vertellen, dus ik glimlach maar gewoon.

'Dat is een heel bijzonder idee, mevrouw De Wildt,' zegt Sterre.

Mijn moeder knikt en loopt mompelend naar de toiletten. 'Iedereen zal mijn bakkunst prijzen... Ik word beroemd vanwege mijn taarten... kan wel een bakkerij beginnen.'

Hoofdschuddend loop ik samen met Sterre de zaal weer in om de laatste schalen te ontdoen van mijn moeders vreselijke koekjes.

'Ik wil echt nooit meer iets eten wat bij mijn moeder uit de oven komt,' zeg ik. 'Ik heb nog liever tien Lonnekes om me heen.'

Over Lonneke gesproken: ik heb haar nog maar één keer gezien sinds haar hysterische uitbarsting na *Wonderland*. Ik kwam haar tegen in de supermarkt in ons dorp, samen met haar moeder. Ze zag me, maar keek me niet aan en ze zei ook niks.

Meneer Van Vlimmeren heeft een gesprek met haar gehad vlak na de musical. Volgens hem had ze het zo op mij gemunt omdat ze jaloers op me is. Maar daar geloof ik niets van. Jaloers op mij? Waarom? Ik moet het haar maar vergeven, zei hij, want Lonneke heeft geen makkelijke middelbareschooltijd gehad. Nou, ik weet nog niet of dat wel kan. Lonneke heeft mijn plezier in dansen de afgelopen jaren behoorlijk verpest. En ze heeft niet eens haar excuses aangeboden of zoiets. Ik heb eigenlijk helemaal geen zin om het haar te vergeven. Meneer Van Vlimmeren vertelde dat ze nu therapie krijgt. Dat lijkt mij ook wel nodig. Als ze dit allemaal uit jaloezie heeft gedaan, dan is er toch wel iets goed mis.

Ik zucht. Misschien dat ik dat vergeefgedoe toch maar een keer moet overwegen. Maar niet nu.

'Hier.' Sterre graait wat zweetkoekjes uit de laatste schalen en geeft ze aan mij. 'Dat zijn de laatste. Nu maar hopen dat niemand ze gegeten heeft.'

Ik grinnik en kieper de laatste lading zweetkoekjes de prullenbak in. Ik kijk de zaal rond om me ervan te verzekeren dat niemand voedselvergiftiging heeft opgelopen. Maar ik zie geen kotsende mensen.

Dan valt mijn oog op de Reus, die nu eenzaam in de volle zaal staat. Mijn hart breekt als ik hem zo zie. Hij kijkt verdrietig en verloren om zich heen. Net als ik naar hem toe wil lopen komt hij in beweging. Hij loopt naar buiten, de begraafplaats op, en zo onopvallend mogelijk volg ik hem. Ik wil wel graag weten hoe het met hem gaat en of hij het wel redt. De Reus loopt regelrecht naar het graf van zijn vrouw en blijft daar heel stil staan, met zijn rug naar me toe. Zijn schouders schokken een beetje. Zou hij huilen? Voorzichtig kom ik stapje voor stapje dichterbij.

'Meneer Reuzer?' vraag ik zachtjes.

Geschrokken kijkt hij achterom. Zijn ogen zijn een beetje rood en er druppelt een traan langs zijn wang, die hij snel wegveegt. 'Dag Puck,' snift de Reus.

Plotseling voel ik me een indringer, alsof ik niet had mogen zien dat mijn leraar stond te huilen. 'Eh...' stamel ik. 'Sorry, ik had niet achter u aan moeten lopen.' Ik draai me om en wil weer weggaan, maar de Reus houdt me tegen.

'Dat geeft niet, hoor,' zegt hij. 'Ik ben echt blij dat je er bent vandaag. Mijn vrouw zou dat ook fijn gevonden hebben.' Hij wenkt me dichterbij en keert zich weer naar het graf.

Ik kom naast hem staan en samen staan we zwijgend naar beneden te staren. Het graf is open; de kist is nog zichtbaar. Er liggen bloemen en kaarten op. Sterre en ik hebben onze bolhoeden erop gelegd, dat vonden we een mooi symbool. Ik weet niet of ik nu iets moet zeggen of niet, dus ik houd maar gewoon mijn mond, dat lijkt me het beste.

De seconden tikken voorbij.

'Ze vond jullie privéoptreden geweldig,' zegt de Reus opeens. Zijn ogen zijn nog steeds op de kist van mevrouw Reuzer gericht en hij glimlacht zwakjes. 'Ze heeft er tot het laatste moment over gepraat.'

Weer zijn we stil. De wind ruist door de bomen en het valt me nu pas op hoe mooi deze sombere plek eigenlijk is.

'Ik moet maar weer eens terug. Er wachten binnen mensen op me,' zegt de Reus uiteindelijk en hij maakt aanstalten om weg te lopen.

'Komt u nog terug?' flap ik er opeens uit.

Hij kijkt me niet-begrijpend aan.

'Naar school, bedoel ik. Bent u nog steeds onze wiskundeleraar?'

Even is hij stil en staart hij me aan. 'Ik kan niet zeggen wanneer, Puck. Ik heb even tijd nodig,' zegt hij dan. Er klinkt droefheid in zijn stem door. 'Maar ik kom wel terug.'

Ik knik, maar ik heb een naar gevoel in mijn onderbuik. Deze hele situatie is zo rot!

De Reus ziet de uitdrukking op mijn gezicht en legt een hand op mijn schouder. 'Maak je om mij maar geen zorgen, Puck. Dat is niet jouw taak. Ik red me wel,' zegt hij glimlachend. 'Echt!' Hij geeft me een knipoog, maar ik ben nog niet in staat een vrolijk gezicht te trekken.

'Volgens mij is er iemand naar je op zoek.' De Reus knikt naar iemand die achter me staat.

Ik draai me om en mijn hart maakt een sprongetje. Het is Jesse. Hij staat tien meter bij ons vandaan geduldig te wachten tot ons gesprek voorbij is. Zijn zwarte pak staat hem echt ontzettend sexy.

'Ze is helemaal van jou, hoor,' zegt de Reus terwijl hij langs hem heen loopt.

Jesse glimlacht en de Reus glimlacht terug.

O ja, dat moet ik misschien nog even vertellen: Jesse is nu mijn vriendje. Ik, Puck de Wildt, heb een vriendje! Ik dacht al dat het nooit meer ging gebeuren en dat ik later een oude vrijster zou worden met vijftig katten in huis, maar gelukkig is het lot me gunstig gezind.

De Reus loopt terug naar het gebouwtje naast de kerk waar de bijeenkomst nog steeds bezig is, en Jesse en ik blijven alleen achter bij het graf van mevrouw Reuzer. Hij slaat zijn armen om mijn middel en trekt me dicht tegen zich aan.

'Waar was jij de hele tijd?' zegt hij terwijl hij me op mijn linkerwang kust.

'O, je weet wel: mensen redden van voedselvergiftiging, de Reus troosten...' som ik op. 'Het gebruikelijke.'

Jesse lacht en kust me op mijn rechterwang. 'Mijn eigen lieve wereldverbeteraar,' grinnikt hij en dan kust hij me op mijn mond. Ik ben nu al een week lang elke vrije minuut met hem aan het zoenen (en dat doe ik ook écht, want ik wil geen kans voorbij laten gaan), maar ik krijg er maar nooit genoeg van. De vlinders in mijn buik fladderen wild omhoog als zijn lippen die van mij raken.

Met de armen van Jesse om me heen staar ik nog even in de verte. De zon staat hoog aan de hemel en de vogeltjes fluiten. Ik denk aan de Reus en hoe alleen hij nu is en ik kan maar moeilijk vrolijk zijn.

'Hé,' zegt Jesse, 'hij redt het wel, hoor.' Hij veegt een traan bij mijn oog weg en ik kijk hem aan.

'Hoe weet je dat?'

Hij haalt zijn schouders op en glimlacht. 'Omdat hij jou en Sterre kent, en jullie gaan hem vast elke dag appeltaart brengen. Waarschijnlijk komt hij moddervet en dolgelukkig weer lesgeven.'

Ik grinnik.

'Kom, we gaan terug.' Jesse pakt mijn hand.

Ik werp nog een blik op de kist van mevrouw Reuzer. 'Dag, mevrouw Reuzer,' fluister ik, 'ik zal wel een oogje op uw man houden.' En dan laat ik me meetrekken door Jesse.

Edelachtbare mensen van Podiumvrees Theater Make-up,

Ik ben blauw. Echt waar. En nee, ik bedoel niet dat ik depressief ben of zoiets (ik weet dat Engelsen soms zeggen 'I am blue' als ze somber zijn, maar dat bedoel ik dus niet). Nee, ik ben echt letterlijk blauw en ik vrees dat het jullie schuld is. Ik hoop daarom heel erg dat jullie er een oplossing voor hebben, want anders moet ik jullie helaas aanklagen.

Zal ik even vertellen wat er gebeurd is?

Ja?

Nou, kijk. Vorige week was de uitvoering van de musical Wonderland bij mij op school. Ik zat in de dansgroep en we hadden weken- en wekenlang geoefend! Op het laatst had ik last van al mijn spieren.

Wisten jullie dat je ook spierpijn kunt hebben in je voet? Ik wist dat niet, maar dat kan dus en het is geen pretje. Neem dat maar van mij aan.

Maar die spierpijn was het allemaal waard, want het optreden was fantastisch. We kregen bijna een uur lang een staande ovatie van het publiek. Het was echt het beste gevoel ooit! Nou, en voor het optreden moest ik opgemaakt worden. Niet alleen ik, maar iedere danser die meedeed. Ik had een dikke laag blauwe oogschaduw boven mijn ogen, knalroze wangen en dikke, zwarte wenkbrauwen. Ik heb er foto's van en die stuur ik mee met deze brief, want het zag er niet uit. Dan hebben jullie daar op kantoor ook weer wat te lachen.

Maar goed, toen het optreden voorbij was heb ik geprobeerd om mijn make-up van mijn gezicht te halen... en dat lukte niet. Ik probeerde van alles. Zeep, make-up-reiniger, lotion, water en allerlei crèmes. De moeder van mijn beste vriendin Sterre heeft zelfs nog een viezig zalfje gemaakt met slakken erin. Maar ook dat hielp niet en het stonk verschrikkelijk. Ik stuur ook een beetje van die vieze slakkenprut mee, zodat jullie je een beetje kunnen inleven in hoe erg het allemaal was.

Het afschuwelijkste is eigenlijk dat ik nu – een week (!) na de uitvoering – nog steeds met make-up op mijn gezicht rondloop. Nou ja, de roze rondjes op mijn wangen zijn wel weg hoor. En de dikke zwarte wenkbrauwen staan me heel sexy. Maar het grootste probleem zijn de blauwe ogen. Er zitten gewoon twee grote, blauwe, make-up-vlekken boven mijn ogen en iedereen die ik tegenkom denkt nu dat ik thuis mishandeld word of steeds maar aan het vechten ben. Ik heb gewoon twee grote blauwe ogen en het lijken net twee blauwe plekken. Sterre heeft er ook last van en de rest van de dansgroep ook. Het lijkt wel alsof de hele dansgroep in elkaar is geslagen.

Dus nu stuur ik jullie deze wanhoopskreet namens de

hele dansgroep. Help ons! We willen niet voor eeuwig met twee blauwe ogen door het leven gaan. Ik hoop dat jullie een soort geheim spulletje hebben waardoor de make-up zo van mijn gezicht smelt. Hebben jullie zoiets? Zo niet, dan vind ik dat jullie daar maar hard aan moeten gaan werken. Het moet eigenlijk jullie allerbelangrijkste prioriteit worden. Mochten jullie nu wel een magisch zalfje hebben voor dit probleem, dan wil ik graag voldoende toegestuurd krijgen voor de hele dansgroep. We zijn met zijn tienen en we wachten met smart.

Groetjes,
Puck de Wildt
(en de rest van de dansgroep van Wonderland)